中国モダニズム作家の歴史再構築

施蟄存歴史小説論

青 野 繁 治 著

朋 友 書 店

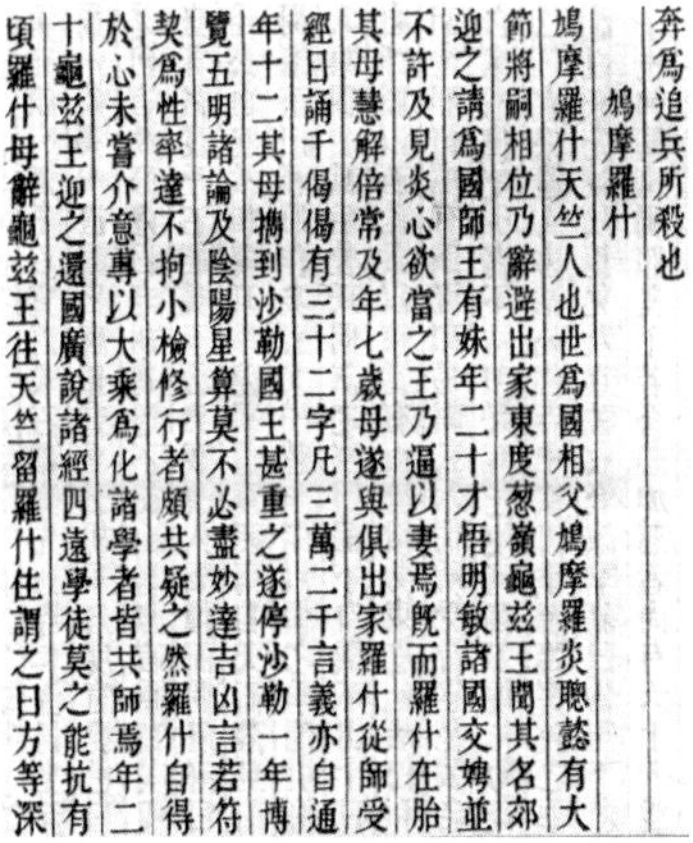
奔爲追兵所殺也

鳩摩羅什

鳩摩羅什天竺人也世爲國相父鳩摩羅炎聰懿有大節將嗣相位乃辭避出家東度葱嶺龜茲王聞其名郊迎之請爲國師王有妹年二十才悟明敏諸國交娉並不許及見炎心欲當之王乃逼以妻焉既而羅什在胎其母慧解倍常及年七歲母遂與俱出家羅什從師受經日誦千偈偈有三十二字凡三萬二千言義亦自通年十二其母攜到沙勒國王甚重之遂停沙勒一年博覽五明諸論及陰陽星算莫不必盡妙達吉凶言若符契爲性率達不拘小檢修行者頗共疑之然羅什自得於心未嘗介意專以大乘爲化諸學者皆共師焉年二十龜茲王迎之還國廣說諸經四遠學徒莫之能抗有頃羅什母辭龜茲王往天竺留羅什住謂之曰方等深

『晋書』鳩摩羅什伝

西安草堂寺鳩摩羅什舎利堂

四川花敬定将軍碑跡

草堂寺鳩摩羅什三蔵記念堂

南昌佑民寺鐘楼の釣鐘

四川竹林寺山門

南昌縄金塔境内の鐘

南昌街頭の鐘

恩師相浦杲先生に捧ぐ

はじめに

大学の学部生の頃、中国史学に関心があり、中国史学者の著書や作家の歴史小説を読みあさった。もちろん文学にも興味があり、ゼミは文学と歴史の両方を履修していた。卒業論文は結局歴史の方で書いた。しかし大学院を受験した当時、大阪外国語大学の外国語学研究科中国語学専攻には中国語学と中国文学の選択肢しかなく、そこで私は文学に転向した。指導教官の相浦杲先生に「中国歴史文学の研究」というテーマをもって相談に行くと、先生は「君はいったい誰の何という作品をやろうというのかね」とおっしゃった。私が「姚雪垠の『李自成』とか郭沫若の『屈原』のような歴史劇や歴史小説をとりあげたいと思います」と答えると、先生は「君は歴史をやりたいのかね、それとも文学をやりたいのかね」とさらに質問された。私が「できたら両方やりたいと考えていますす」と答えると、「君、それでは就職のときに歴史学を専攻したのか、文学を専攻したのか、わからんじゃないか」とおっしゃった。私は先生に勧められて、「茅盾の文学」をテーマに選んだ。まず茅盾文学を研究することによって、中国文学におけるリアリズムをしっかり勉強し、文学の基礎を固めた上で、その基礎の上に他のテーマへと発展させていく、そのような研究の方向性を先生は示されたのである。確かに茅盾の長編小説は中華民国時代の叙事史でもあると評価されており、なるほどと納得した。私は修士論文を「茅盾の文芸修業時代」というテーマで書いた。

その後大学に非常勤講師として通いながら、相浦先生の大学院のゼミに顔を出させて頂いた。ある年は中国の「新感覚派」を取り上げることを提案し、採用された。先生ご自身も学会の中国文学流派研究に関するプロジェクトに参加しておられたので、タイムリーだったのである。最初は厳家炎「論三十年代的新感覚派小説」(三十年代の新感覚派小説を論ず)という論文を読んで行く形をとったが、後に人民文学出版社の『新感覚派小説選』が手に入ったので、そこに収められた作品を読んだ。私たちの世代が読み慣れた社会主義中国を描いた小説とは、全く異なる世界を描いた施蟄存、穆時英、劉吶鴎、黒嬰、徐霞村などのいわゆるモダニズム小説が収められていたが、そのなかで施蟄存の作品が一番私の興味をひき、「将軍底頭」や「石秀」のような歴史小説が中国の三十年代に書かれていたことを知って驚きを感じたものである。

その後ゼミとは別に個人的に「鳩摩羅什」という作品を読み、この作品と歴史的文献とを比較することによって、施蟄存文学がどのように文学的虚構と歴史的枠組みとの関係を処理しているのかをさぐる論文を書いた。(1)

本書は中国の一九二〇年代から三〇年代にかけて小説家として、また『現代』という雑誌の編集者として、上海を中心に活動した施蟄存の歴史小説作品について、三〇年間にわたり、少しずつ論じてきたことを一冊にまとめたものである。いわば恩師と出会ったことによって、この仕事にとりくみ、それが私の生涯で最も重要な仕事となったと言ってよい。本書を相浦杲先生に捧げる所以である。

最初の論文を書いてから既に三十年を経過しており、それぞれの論文は、それを書いた時々の私の問題意識を反映しているが、その問題意識は必ずしも一貫したものであるとは言い切れない。論文を書きながら少しずつ変化してきており、一貫した問題意識のもとに本書の各章を再構成し、一冊の論考としてまとめなおすことは困難な作業であった。しかし歴史的文献をどのように処理することによって作品が出来上がったのか、その過程を追いかけるという方法は一貫しており、また中国において、フィクションはどう理解されているのか、それは現実とどのような関係にあるのか、という関心もまた一貫していたと言える。それらを中心として、問題意識の近いものが隣接するように並べなおし、章構成を組み立て、論旨に齟齬がないように工夫した。論文によっては、大幅に加筆を行い、大胆に論旨の再構成を行った。したがって取りあげる作品の順序は基本的に問題意識の流れに沿って並べられ、実際の小説の発表順とは異なり、また論文の発表順とも異なることになった。
　実際の施蟄存の歴史小説作品の発表順は、以下の通りである。

「鳩摩羅什」（『新文藝』創刊号　一九二九年九月十五日　水沫書店）
「将軍底頭」（『小説月報』二十一巻十一号　一九三〇年十一月十日　商務印書館）
「石秀」（『小説月報』二十二巻二号　一九三一年二月十日　商務印書館）
「孔雀胆」（『文藝月刊』一九三一年、後に「阿襤公主」と改題、小説集『将軍底頭』に収録）
「李師師」（『李師師』上海良友図書印刷公司　一九三一年十一月二十日）
「黄心大師」（『文学雑誌』第一巻第二期　一九三六年六月一日）

　施蟄存は一九〇五年十二月杭州に生まれ、その後蘇州や上海近郊の松江で少年時代を過ごし、大学は杭州の之江大学、上海の上海大学、震旦大学などを転々とした。その間、杭州では蘭社という文学グループをつくり、同人誌『蘭友』を発行した。上海大学では後に中国を代表する女性作家の一人となる丁玲や中国の先駆的リアリズム作家茅盾の義弟孔另境と机を並べ、茅盾や田漢の講義を聴いた。戴望舒を通じて震旦大学でフランス語の速成班に入った彼は、そこで台湾出身で日本語も堪能な劉吶鴎を知る。劉吶鴎を通じて第一線書店や水沫書店などの経営にかかわり、『無軌列車』『新文藝』などの同人誌の編集に従事し、編集者としての経験を積んだ施蟄存は、商業的文芸誌『現代』の編集長に抜擢される。以後彼は「現代派」グループの中心人物とみなされることになった。施蟄存の歴史小説は「黄心大師」を除く全てが、『現代』編集長就任以前に書かれており、二十四歳から二十六歳の三年間にそれら五編の作品を書いたことになる。「黄心大師」を書いたのは三十二歳のときで、この作品は、施蟄存の歴史小説だけでなく、現代上海を描いた小説創作も含めて、彼の創作経験を集大成するようなものとなった。一九二〇年代から三〇年代前半期にかけて、施蟄存は歴史小説以外にも、女性心理を描いた作品や幼年期をノスタルジックに描いた作品も書いており、その執筆意欲は極めて旺盛であった。一九三七年以後大学で教鞭をとるようになった施蟄存は、次第に小説創作から遠ざかり、一九四七年の「超自然主義者」を最後に、二〇〇三年の死去まで小説の新作を発表することがなかった。施蟄存が中華人民共和国において、作家としてではなく、研究者として活動したこと、彼が政治運動の波のなかで「右派」とされ、苦難の人生を歩んだことと、彼の作家活動との深い関係が本書を通じて、間接的に明らかになるであろう。

本書が取り上げるのは主に彼の歴史小説である。それは素材が明らかな歴史題材を、施蟄存がどのように処理して小説としてリメイクしたのか、その過程を明確化することによって、歴史と文学の問題つまり史実と虚構の問題を様々に考察することができる、という趣旨からである。本書が表題のタイトルになった所以である。

本書は一人の中国人作家の歴史小説に関する論考ではあるが、中国文学研究上の様々な問題に言及しており、中国現代文学草創期に活動し、多様な文学表現における新しい試みを行ったこの作家の文学的実験が、中国現代文学史においてどのような意味をもつのか、を考察する上で重要な視点を提供することができるであろうと考える。

末筆になったが、原典資料の収集に関して、大阪教育大学時代の同僚であった富永一登氏と中国文芸研究会の同人で立命館大学教授斎藤敏康氏の多大の援助を受けたことを記し感謝の意を表したい。

注

（1）拙論「施蟄存『鳩摩羅什』——その虚構過程」（『野草』三十九号　一九八七年二月十五日）、本書第一章に該当。

中国モダニズム作家の歴史再構築——施蟄存歴史小説論

目次

序章　歴史小説に見る施蟄存の方法意識
——茅盾との比較から

「歴史小説」の概念

ここでは「歴史小説」ということばを、厳密な意味で定義することはしないでおく。それをやろうとすると、面倒な問題がいろいろ出てくることになる。たとえば、魯迅の『故事新編』は「歴史小説」集であるのかどうか、「故事」という魯迅の用語と一般的な「故事」の意味は同じかどうか、更にそれと「歴史」ということばとの関係、また「歴史」という中国語語彙がどこまでフィクションに基づく記述を許すのか。『故事新編』の「補天」「鋳剣」はいずれも厳密な意味で学問としてのつまり科学としての歴史学とは異なる神話・伝説に類する話をモチーフとしているが、それは「歴史小説」と言えるのか、という具合である。さらには歴史学自体の問題、つまり果たして歴史学はファクトを追い求める学問なのか、それともリアリティを求める学問なのか、或いはそれらの関係及び法則性を求める学問なのか、といった問題にまで、考察の範囲を広げねばならなくなるだろう。本書はそのような原理的な問題を考察することを意図しているわけではない。

ここでは、日本でチャンバラと呼ばれる「時代劇」あるいは娯楽性ももった「時代小説」のような意味も含めて用いることにする。そうすれば、細かな登場人物が、歴史的実在かどうか、ストーリーが「歴史的事実」かどうか、というような問題はとりあえず棚上げに出来るからだ。石秀や李師師、黄心大師といった人物が実在したかどうか、といった歴史的事実そのものの問題は本書の興味からはやや遠い。

私がここで扱いたいのは、そういった問題ではなく、あくまで作家が「歴史」的題材を処理するときに表れる方法意識或いはフィクションに対する認識なのである。

張平論文の内容

茅盾と施蟄存の歴史小説を比較するという試みは、すでに一九三二年に張平が「評幾篇歴史小説」[1]（幾編かの歴史小説を評す）で行なっている。張はいずれも『小説月報』に掲載された蒲牢（茅盾のペンネームの一つ）の「豹子頭林冲」「石碣」「大澤郷」及び施蟄存の「石秀」「将軍的頭」[2]を取り上げ、次のように述べている。

> はっきりとこの五篇は、二つの異なる作風を示しており、同じように歴史人物や伝説を題材に取っているが、取材の態度や手法の上では、別々の傾向をもっている。大体において、蒲牢の「豹子頭林冲」「石碣」「大澤郷」は、いずれも反抗的意識に満ちている、と同時にまた一面では、諷刺の意味ももっている。施蟄存の「将軍的《ママ》頭」と「石秀」は旧時代の恋愛心理を暴露している。しかしこの二人の作家を代表する作品が、全く違うわけではなく、歴史及び伝説上の人物に現代的な新しい意識を付与している点、すなわちいわゆる「古い瓶に新しい酒をつめる」という意味で、この二人の作者はまさに同じなのである。しかし、私は前者の作品の方が緊迫した力があって、技巧の上でもより円熟しているように思う。

このあと張平はそれぞれの作者の作品を一篇一篇分析し、この結論を裏付けていく。

張は茅盾の「豹子頭林冲」について、原作『水滸伝』で最初に梁山泊の頭目であった白衣秀士王倫を殺して晁蓋らを迎えいれる林冲を、短篇小説の構成法を用いて「経済的」に表現し、それによって旧小説に勝っており、また「例の口々に国の恥をすすぎ、異民族を追い払えと叫ぶ朝廷の権力者が、陰ではどのようにして異民族に媚びを売って売国的な真似をしているかを、何のためらいもなく断定した」というくだりは、深い諷刺の意味を持っている、と言う。

同じく『水滸伝』に取材した「石碣」は、梁山泊に百八人の豪傑がそろった後、それまで梁山泊の首領であったが敵の毒矢に当たって死んだ晁蓋の昇天とそれまでの戦闘で横死した人々の成仏を祈る儀式の折りに発見された石碣を扱ったものである。張は、この作品で、百八人の序列を記したこの石碣が、梁山泊の豪傑たちにその序列を納得させる為に、天の思し召しであるかのように、儀式の中でこれを劇的に登場させた軍師呉用の策略である、とする合理的解釈と、全篇を貫くユーモアの雰囲気を評価している。

秦末の陳勝・呉廣の反乱に取材した「大澤郷」については、前二作品よりも、緊張感があり、暴風雨の気配と反抗の熱情に充ちていて、「貧民の死地における覚悟及び富農階級没落の暗い影を、さんたんたると同時に悲壮なものでもあると説明」したものであり、作者茅盾は「《豹子頭林冲》で農民の原始的反抗性を描き、今度はここで農民の実際的な革命の要求と行動を描いたのである」と張平は述べている。

張平の立場は明確である。それは端的に言ってしまえば、合理精神とユーモアの感覚及びマルクス主義的階級論という革命思想に裏打ちされた近代的短篇小説を求める立場である。その立場を堅持しながら、彼は施蟄存の作品へと批評を進めている。

「将軍的頭《ママ》」について張平は、民族の矛盾と恋愛の過程という二本柱を立てることはよくあることだが、両者の関連性が乏しく、民族矛盾を書きたいのなら恋愛のエピソードはなくてもよく、民族矛盾だけで小説のよい題材になる。しかも最初の三分の二を民族矛盾の描写に裂いて、最後に恋愛の話に方向転換するのは、視点の混乱である、と述べている。特に「面白い部分を膨らませることは伝奇小説にはよくあることだが、これは短篇小説なのだ」という部分は張の立場をはっきり示している。つまり彼は近代小説としての短篇小説の枠組みを施蟄存の歴史小説にも要求しているのである。

施蟄存の「石秀」は、兄貴分の病関索楊雄と拚命三郎石秀が、裴如海和尚と不倫関係を結んだ楊雄の妻潘巧雲を殺害するという『水滸伝』の挿話に取材し、一般に好漢の行為と見なされる石秀の行動の裏に、複雑な恋愛心理が隠されていたという内容である。この作品を、張平は題材の点で独自の部分があるとし、特に「石秀の感情と理知の衝突を非常に綿密に分析している」と高く評価しているが、「旧題材の処理においては余りにも力量を欠いている」と不満を述べる。彼は、施蟄存自身が『小説月報』掲載の「石秀」の末尾で、三箇所「原文」を引用せざるをえなかったと、告白しているのを受けて、当該箇所をチェックした上で、それらは直接の引き写し、翻訳、心理描写の追加、形容詞の追加という四つの形に分類できると言い、それは盗作とは言えないが、そのまま取り入れてしまうのなら、古い題材を新しく書き直す意味がなく、むしろ原文を読む方が筋として一貫している、と批判する。特に「原文を引用した」箇所と独自の挿話の部分に二箇所ほど内容的な矛盾があることを指摘するに至って、張平の分析は説得力を増している[3]。張平は「原文」を引き入れざるを得なくなる原因は、原作の内容にこだわりすぎるからだと言い、「歴史人物や伝説を題材とする作品では、ストーリーの進行に変化がなく、心理分析だけが残るなら、その心理分析には取るべき価値がない」とも述べている。つまり張平は施蟄存の「石秀」に対して、現代的な心理学の手法を用いるなら、ストーリーそのものにもそれに応じた新しい形を与えるべきだ、と要求しているわけだ。もしそれが可能であれば、古典作品の一部を引っ張ってくることなどなく、茅盾のように作品に全く新しい形を付与することが出来るというのである。

かくして張平は次のように結論づける。

上で述べたように、題材は形象の中に一種の意識（イデオロギー）を表現する手段である。歴史人物や伝説を題材に応用するのは、もちろん手段の新たな変化なのである。しかし手段がどのように変化しても、作品の内容はやはり新しい意識（イデオロギー）でなければならない。その点はこれら五篇ともにかなり把握していた。たとえば「豹子頭林冲」と「大澤郷」は新たな農民意識、「石秀」は現代的恋愛心理である。次に一つの手段が内容を表現しうるかどうかは、取材が適当かどうかにある。この五篇ではかなりの成績をあげていると言えるが、「石秀」は恋愛心理を表現しているだけで、反抗精神を表現できないのに対し、「豹子頭林冲」は反抗精神を表現しているだけで、恋愛心理を表現できない。（中略）次に題材の適切さは、処理が当を得ているかどうかにもかかわる。この点では五篇の中では「石秀」と「将軍的頭」が比較的我々を失望させる。

張平の論旨は、極めて妥当なものであり、一九三〇年代前後の時代精神（史的唯物論を背景にもった階級論的分析と近代合理主義）とうまく噛み合うタイムリーな内容となったため、当時大きな影響力をもったに違いない。その後の史的展開において、施蟄存文学が不当に無視されてきた原因が、単に張平の評論に起因するものか、「第三種人」論争などの文学史的評価によるものか、あるいはもっとほかにあるのかは、別に考えねばならないが、張平論文が「将軍底頭」と「石秀」の欠点を鋭く突いていることが、当時の施蟄存文学の全体的評価に大きな影響力を及ぼしたであろうことは、想像に難くない。

逆に茅盾については、それ以後、その代表的な長編小説作品を論じることはあっても、「豹子頭林冲」「石碣」

「大澤郷」に言及する論文はきわめて稀であり、言及はあっても具体的な分析がなく、張平の評価が何等の検討も加えられないまま現在に至るまで踏襲されていると言ってよい。

リアリズム文学の巨匠として高く評価され、中国の現代文学、当代文学を通じて文壇の指導的地位にあった茅盾と、一九三〇年代にわずかに十年の間作家として活動した後、学者として大学の教壇に立ち、作家としては余り評価されてこなかった施蟄存、この二人に対する文学史的評価の分かれ目は、ここに始っている、と考えてよいだろう。

そこで、この張平論文を再検討しながら、両作家の小説意識の違いを明らかにし、特に施蟄存評価の洗い直しを試みることが必要であると考えるのである。

茅盾の「豹子頭林冲」「石碣」「大澤郷」

茅盾が蒲牢のペンネームで『小説月報』に「豹子頭林冲」と「石碣」を発表したのは、それぞれ一九三〇年八月（二十一巻八号）及び九月（二十一巻九号）であった。「大澤郷」はそれらに続いて十月（二十一巻十号）に発表されている。このように同じ傾向の作品を同じ雑誌に同じ筆名でたて続けに発表しているところから見て、茅盾は意図的にこのような創作を行っていたに違いない。ではその意図はどこにあったのであろうか。

茅盾は後に次のように回想している。

私の当時の「創作」は、三篇の歴史と伝説から取材した短篇小説「豹子頭林冲」「石碣」「大澤郷」である。前二篇は『水滸』に題材を取り、「旧いビンに新しい酒を詰める」という類と言える。「大澤郷」は陳勝、呉広の蜂起という史実を叙述する歴史小説、私の最初で最後の歴史小説と言える。私はこの三篇を書くとき新たな筆名「蒲牢」を用いた。蒲牢とは海獣の名前である。李善注班固「東都賦」は薛綜旧注「鏗華鐘」の句を引き、その下で「海中に大魚あり、曰く鯨と。海辺に又獣あり名を蒲牢という。蒲牢素より鯨を畏れ、鯨魚蒲牢を撃てば輒ち大鳴す。凡そ鐘は声を大ならしめんと欲する者なり。故に蒲牢を上に作り、之を撞つものを鯨魚となす」とする。私が蒲牢をペンネームにしたのは、蔣介石の文化包囲攻撃が日に日に激しさと残酷さを増しているのに、左翼文壇のメンバーが相も変らず、声を大にして反抗して、畏れるところを知らず、反抗の声がますます遠くまで伝わって行く様子を暗示することにあった。この三篇を書いたのには当時考えるところがあったのである。一つにはプチブル知識人ばかり書き慣れたので（それでいろいろ非難も浴びた）、題材を換え、新たな形式を探求したかった。二つ目には正面きって現実を攻撃する作品には制限が多すぎるから、試みに古きを以て今を喩える道へ迂回しようとも考えたのだ。(4)

茅盾のこの「旧いビンに新しい酒を詰める」とか「古きを以て今を喩える」といった発言は見事に先に触れた張平の見解と対応している。もちろん茅盾はこの回想録を書くに際して、大量の資料を参照しているので、張平論文を読んでいたに違いない。しかし茅盾が張平論文の中にかつての自分の立場を再確認したのでなければ、このように内容が符合することは考えにくい。

要するに茅盾は当時の社会的現実を批判ないし諷刺することを意図して作品を書いたのだが、直接的なものでは制約が多いので、歴史ないし伝説を題材とした作品によって、間接的にその意図を達成しようとしたのである。筆名の蒲牢にもそのような意図が込められていたわけだ。そしてこのような意図は施蟄存のそれとは全く違った性質のものなのだが、それはあとで論ずる。

ここでは更にこれら三篇を書くに至った茅盾をとりまく幾つかの状況に触れておく必要がある。「プチブル知識人ばかり書き慣れたので（それでいろいろ非難も浴びた）」という言葉が指しているのは、「幻滅」「動揺」「追求」の三篇からなる『蝕』三部作と「革命文学論争」にほかならない。一九二〇年代後半の「北伐」と呼ばれる革命戦争を背景として、若い世代の諸相を暴露的に描いた『蝕』を、「太陽社」や「創造社」のメンバーから、労働者や農民など革命の前衛を描いていないと非難された茅盾が、「牯嶺から東京へ」を書いて、実際の読者は、文盲率が高く、又文学に対する関心が高いのは、比較的低い労働者農民層ではなく、都市の小資産階級や学生などであると反論したのが、一九二八年のことであった。茅盾はそのような立場を取りながら、「虹」というやはり若いインテリ女性を主人公とする作品を書き、彼女が五・三〇事件を通じて大衆運動のなかに参加していくまでを描くことで、極左的な立場をとる人々に対して、自らのマルクス主義的立場を明らかにしようとした。

「題材を換え、新たな形式を探求」するとか「古きを以て今を喩える」という言葉から連想されるのは茅盾の神話研究である。一九一六年から約十年に及ぶ商務印書館編訳所勤務時代に、『新青年』に依拠した先駆者たちの影響を受けて、外国文学の紹介に力をいれていたころ、彼が主張していたのは、「探本窮源」すなわち過去の源流に遡って系統的に外国文学を紹介することであった。そしてギリシャ・ローマ神話及び北欧神話をその源流の一つとして考えていたことは、当時の彼の主張から見て取れる。しかし文学研究会が成立する一九二一年前後には、目標を当時の最先端であると目された新ロマン主義に置きながら、当面の急務は西洋の「写実主義」「自然主義」の紹介であるとし、更に北伐戦争のはじまる一九二三年頃から「無産階級芸術」の主張へと急転する。いわば歴史の流れにおしながされる形で、「系統的」という主張を「急務」に置き換えた。それは決して「系統性」の主張を翻したのではなく、棚上げにしたのであった。二〇年代の後半になって彼が神話研究に手をつけたのは、もういちど最初に戻ってやり直すことを意味した。そしてそれは丁度革命文学論争をへて、「題材を換え、新たな形式を探求」したいという要求を持ったことによって動機づけられたのである。

もう一つの情況として、魯迅や郭沫若らによって神話や歴史故事をモチーフとする作品が既に存在したことが挙げられる。例えば魯迅は一九二二年に発表した作品集『吶喊』の初版に「女媧」の神話を取上げた「不周山」（後に「補天」と改題して一九三六年『故事新編』に収録）を収めているし、一九二六年には、羿と嫦娥の神話に取材した「奔月」及び六朝の志怪小説等に取材した「眉間尺」（後「鋳剣」と改題して『故事新編』に収録）を『莽原』という雑誌に発表している。郭沫若は一九二三年に「鵷鶵」（『創造週報』第九号、後一九三六年『歴史小品』収録の際「荘周去宋」と改題、更に一九四七年『地下的笑声』収録の際、「漆園吏遊梁」と改題）、『函谷関』（『歴史小品』では「老聃入関」、『地下的笑声』では、「柱下吏入関」）という歴史小説を書き、更に歴史劇では「卓文君」「王昭君」を書いている。その後もこのような小説は、一九二〇年代から四〇年代にかけて一大勢力を形成していたし、その後も中国現代文学史において重要な位置を占めてきた。茅盾の作品もその流れの中で創作されたものなのである。

このように見てくると、茅盾の歴史小説は、彼の初期の文学活動を踏まえながらも、時代の流れの中に身を置いて、その必要に迫られて書かれたものであったということができる。だとすれば、茅盾の歴史小説執筆の動機が、自分の生きているその時代にあったということを、疑う余地はあるまい。実際に茅盾の方法意識もまた当然歴史や伝説の枠組みを借りて、如何に現代を喩えるかということに傾くわけである。

たとえば、「豹子頭林冲」では、役人に虐げられ反発する農民的イデオロギーの持ち主林冲の、役人として立身出世の道を歩もうとする青面獣楊志に対する批判的心理、賢いものや能力あるものを妬む卑劣で臆病な白衣秀士王倫に対する殺意などは、この時代の読者が社会的現実や人間関係に対する様々な思いを作品に投影し、不満を発散できる部分であろう。また張平の言う「例の口々に国の恥をすすぎ、異民族を追い払えと叫ぶ朝廷の権力者が、陰ではどのようにして異民族に媚びを売って売国的な真似をしているかを、何のためらいもなく断定した」というくだりの「深い諷刺の意味」とは、先ほど見た茅盾の回想によればどうやら蔣介石の国民政府をあてこするものである、と考えられよう。

「石碣」で、石碣制作の作業を続けている聖手書生蕭譲と玉臂匠金大堅の会話を通してほのめかされる、梁山泊百八人の豪傑の内部矛盾とその出身階級による分析、さらに矛盾打開の為の智多星呉用による石碣という策略、といった内容に、一九三〇年前後の革命運動における統一戦線のメッセージを読み取ることも不可能ではあるまい。

そういった意味では張平による茅盾の歴史小説評価はまことに説得力があったと言える。しかし施蟄存の作品について同じことが言えるだろうか。

施蟄存『将軍底頭』

「鳩摩羅什」「将軍底頭」「石秀」「阿襤公主」を収めた『将軍底頭』(5)の「自序」で、これらの作品の意図に関して、施蟄存はこのように述べている。

同じ様に古事を題材にした作品であるが、描写の方法と目的の上で、これら四編が完全には同じでないことを、賢明な読者はきっと気がついたであろう。「鳩摩羅什」は道と愛の衝突、「将軍底頭」は種族と愛の衝突を描いた。「石秀」は性欲心理の描写に力を注いだだけであり、最後の「阿襤公主」は、単に美しい物語を我々の前に復活させることに気を配っただけである。

序文で自分の作品の主旨を説明する作者など今までいなかった。しかしこれらの作品が以前雑誌に発表されてから、私にとっては不本意な批評をたくさんいただいた。あるものはこれらの作品の中からプロレタリア意識を検証しようとし、あるものは、私の目的が民族主義の提唱にあるという。このままだと私自身でさえこれらの作品の方法と目的を懐疑しはじめかねない、と感じるほどだ。それでこの機会に説明を加えて、これ以上、無関係な小説に虫眼鏡を当てないようにしてもらおうと考えたのである。

ここには自分の作品が思ったとおりに理解してもらえない苛立ちがあらわれている。彼自身の説明と彼にとっては「不本意な批評」との違いがどこにあるのか、彼ははっきりとは述べていないが、「道と愛の衝突」とか「種族と愛の衝突」「性欲心理の描写」「美しい物語を我々の前に復活させること」と、「プロレタリア意識の検証」「民族主義の提唱」とはまるで違った事柄である。そして先に茅盾の歴史小説の項でみたように、後者はまさにこの時代の雰囲気を示す批評なのであって、施蟄存の不満もそこに向けられている。施蟄存が言いたかったのは、彼の歴史小説は「故事を借りて今を喩える」ものではなく、「故事を新たに解釈する」ものだということであった。

張平や茅盾の用いた「古いビンに新しい酒をつめる」という比喩は、古い物語を現代風に解釈する意味であるが、更に今を諷刺する、とまでは言っていない。この比喩は厳密には施蟄存作品には用いることができても、茅盾の作品に用いるのは不適当なのではないか。茅盾は既に評価の定まった歴史的枠組みを利用して、その枠組みを現代にあてはめようとするものである。茅盾の作品に対しては「古きを以て今を喩える」とか「古きを以て今を諷する」の語は当たるが、こちらは施蟄存の作品には当たらないように思う。

張平論文の施蟄存評価の問題点

そこで張平の施蟄存評価をもう一度見直してみると、一つの問題点が見えてくる。前にも見たように、茅盾と施蟄存の歴史小説が、「二つの異なる作風を示しており、同じように歴史人物や伝説を題材に取っているが、取材の態度や手法の上では、別々の傾向をもっている」ということを張平は認識している。前者は諷刺、後者は旧時代の恋愛心理を暴露するものだと考えている。しかし「歴史及び伝説上の人物に現代的な新しい意識を付与している点、すなわちいわゆる『古いビンに新しい酒をつめる』という意味で、この二人の作者はまさに同じ」と考えている。

要するにここで茅盾と施蟄存の歴史小説の傾向を「古いビンに新しい酒をつめる」という最大公約数でくくるところに論理のすりかえが生じているのである。確かにこの比喩は両者の共通点をよく示している。しかしこのような共通点があるからといって、「同じ」という言葉で表現してしまったのでは、諷刺という意図をもたない施蟄存が不満に感ずるのは当然と言えよう。

施蟄存が張平の論文を読んでいたかどうかはわからない。時間的経緯から言えば、単行本『将軍底頭』の出版が後になるから読んでいた可能性が高い。読んでいたとすれば、施蟄存は張平の評価に納得しなかったに違いない。

さて、先にも見たように、張平は茅盾と施蟄存を、「古いビンに新しい酒をつめる」という最大公約数でくくることによって同じ俎上にのせ、一方は破綻の無い構成と文章に満ちているユーモアの調子を高く評価するのに対して、一方に破綻があるとして、その原因を分析し、比較的低い評価を与えた。その論点は当たっている部分もあるが、全体としては賛同するわけにはいかない。

例えば「将軍底頭（将軍の首）」という作品について、民族矛盾と恋愛の過程という二本柱を見出し、「両者の関連性」が乏しいとして、どちらか一方で充分小説になると断じているが、果たしてそうであろうか。「将軍の首」は決してそのような小説ではない。

主人公の花驚定将軍は、チベット系吐蕃の血を引きながら、漢族唐王朝の下で育ち、その軍隊の将軍となって勇猛の名をはせている。その彼が吐蕃を征伐にでかけるのである。つまり民族矛盾とは、漢族と吐蕃の矛盾であると共に、両民族の板挟みとなっている花驚定将軍の矛盾である。しかし行軍の途中将軍は自分の部下に乱暴されようとした漢族の少女を救った。初めて愛を感じたこの少女を守るために、吐蕃を征伐するという合理化を行なった将軍は、同族へのこだわりから逡巡していた自分を戦闘へと駆り立てるのである。戦いは熾烈をきわめ、相手の将軍を倒した瞬間に、彼は自分の首も切り落とされる。少女への思いを断ち切れない将軍は首のないまま、馬を戻して少女に会いに行くが、結局少女に冷たくあしらわれて息絶え、その瞬間遠く離れたところに転がっていた将軍の首が涙を流すのである。

このようにプロットを追いかければ、張平のように、「民族矛盾と恋愛の過程」の「関連性が乏しい」とは言えないであろう。花驚定将軍の民族的内面の葛藤、それが少女への愛によって克服される過程、更に首を亡くしてもなおかつ死なずに追い求めた愛が踏みにじられると同時に民族的アイデンティティまでも潰えさってしまう将軍の悲劇的結末がこの小説を感動的にするのであって、二本の柱は重大な関連性をもって描かれているのである。どちらかの柱を欠いたら、平板なつまらない作品になってしまう。

施蟄存が「種族と愛の衝突」という言い方をしているのは、漢族である少女が将軍を愛さなかったのは彼が吐蕃人であったからだということを言っていると思われるが、それは単なるモチーフであって、それがこの作品の中心的主題であるとは考えにくい。

「石秀」についての張平の評価はどうであろうか。

前に見たように、作品を「石秀の感情と理知の衝突を非常に綿密に分析している」と高く評価するが、題材の処理において失敗しているというのが張平の見解であった。施蟄存が『水滸伝』の原文をそのまま作品に取り込んでいるのは、現代心理学の分析法を用いても、ストーリー展開に目新しい形を付与できていないからだと言うのである。

しかし、「そのまま取り入れてしまうのなら、古い題材を新しく書き直す意味がない、むしろ原作を読む方が筋として一貫している」とか、「歴史人物や伝説を題材とする作品では、ストーリーの進行に変化がなく、心理分析だけが残るなら、その心理分析には取るべき価値がない」と、果たして言いきれるのだろうか。

原文をそのまま用いることによって、ストーリーの一貫性が失われたことは、事実である。しかしそれはたまたまそうなったに過ぎない。原文そのままを利用してもストーリーの一貫性が失われないように技術的に処理することは可能であり、施蟄存がストーリーの矛盾に気づかないまま処理しないで済ませてしまっただけのことなのだ(6)。

逆に私は、施蟄存が原文をそのまま用いたところに、彼の小説意識のこの時代における特異性が表れていると見る。彼は作品の現代的意義や諷刺ということよりは、もとの物語の枠組みを大切にしようとしているのだ。ストーリー展開を変えずに、もとの話では抜け落ちていた人物の心の内部を綿密な心理描写によって補足すること、それが施蟄存の歴史小説の狙いだった、と考えるのである。

施蟄存は『小説月報』に「石秀」を掲載したとき、その末尾に次のようなあとがきをつけている。

この小説を書こうと思いたってから、随分になるが、今年九月上旬になってやっと第一頁の原稿に着手した。十頁まで書いたとき、全部破棄して書き直した。今日ようやく完成を見たのである。一読してみて全く満足できるものではない、と感じた。最初に計画していた姿とは、大きくかけはなれている。しかも三箇所『水滸伝』の原文を引き入れざるを得なかったのが残念である。しかし苦労して書いたものであるから、しばらく保存しておけば、他日あるいは改作できるかもしれない。私がこの一編を書いている間に、本誌は連続して『水滸伝』の内容を題材として応用した創作を二編掲載し、他所の雑誌にも数編載った。計算してみると、最初にこのアイデアを考え出したのはやはりこの作品とすべきである。自慢するわけではない。競争しようと言う意図がないことを明らかにしただけのことである。

十一月三十日脱稿後記す

「石秀」の発表は、『小説月報』二十二巻二期の発行された一九三一年二月であるが、ここで施蟄存の言う「九月上旬」とは一九三〇年の九月であり、末尾の日付も一九三〇年十一月三十日である。従って「本誌」が連続して掲載した「『水滸伝』の内容を題材として応用した創作」の二編とは、正に茅盾の「豹子頭林冲」と「石碣」に他ならない。施蟄存は「石秀」執筆の最中に発表された茅盾の両作品を強く意識し、両作品に先んじて自分のアイデアがあったことを主張するとともに、両作品と競争する意図で自分の作品を書くものではないことを述べている。茅盾の作品と自分の作品とは狙いが違うと主張しているのである。

その狙いがどう違うのかは、この後書きには述べられていない。しかしその点については既に見た通りである。施蟄存の意図は、諷刺や現代社会批判にではなく、古い物語の新たな解釈にあるのである。

歴史小説と心理描写

施蟄存の歴史小説の特徴は、それが歴史的題材を扱っていると同時に、心理学をふまえた綿密な心理描写を作品に盛り込んでいることである。[7] 彼は叙事性を重んずる歴史物語の中に西洋的な心理描写を持込んだ。彼の作品は言わば歴史心理小説なのである。その場合、そこに描かれる心理は、現代的ではあるが、現代人だけでなく、現代以前の過去の人々も潜在的にそれとは気づかずに抱いていたはずの心理なのである。

話を張平による評価に戻すと、彼は「石秀」を「旧時代の恋愛心理を暴露」したものと考える一方、また「現代的恋愛心理」を内容としてもっているとも述べる。[8] その言い方はあいまいである。彼は果たして石秀の心理を「旧時代」にも存在した「恋愛心理」と考えているのか、それとも『水滸伝』の時代つまり宋代またはこの小説が成立したとされる明代にはこのような心理はありえないにもかかわらず、施蟄存が現代的な心理学を導入することによって、現代的な心理をもった歴史人物に書き換えたと考えているのか、いまひとつ解りにくい。

後の方の解釈をとるのが、「流派」という概念によって、一九八〇年代に施蟄存らの再評価を試みた厳家炎である。

これらの小説で作者はフロイディズムを用いて人物の心理を解釈したり、洞察することに力を注ぎ、それによって根本的に人物と物語を改造し、古代人の現代化、古代人のフロイト主義化を行なうに至って、フロイト学説の消極的要素を比較的多く体現した。[9]

厳家炎教授の論文は、施蟄存研究の先駆的業績であり、日本の新感覚派からの影響についての指摘など高く評価できる分析も含まれているが、フロイディズムに関しては依然社会主義中国の伝統的な偏見に基づいた立論となっており、学術的客観性において欠点があると言わねばならない。「フロイトの汎性欲説」の否定に躍起になって、フロイトだけでなく、心理学そのものがもっている普遍的要素を見ようとしないからだ。もちろん史的唯物論の立場にこだわれば、それも無理からぬことである し、「社会的効果」という一面的な基準にこだわらなければならない当時の中国の情況も解らぬではない。しかしそれはコロンブスがアメリカを発見するまで、地球上にはアメリカ大陸がなかったと考えるようなものであろう。

施蟄存が描いたサディズムやフェティシズムを含む石秀の倒錯心理は、決して現代人のみが抱く心理ではない。そのような心理を学問的知識として体系化するには、現代心理学を待たねばならないとしても、その心理がそれ以前から存在したことは、否定できないのではないか。彼は決して厳家炎の言うように、古代人を現代化しているのではなく、現代人の目で、古代人のなかに、現代人と同じ心理を見出したのである。そしてそれ以上でも以下でもない。そのことによって現代社会を諷刺しようという意図を、施蟄存はもっていないのである。

注

（1）『現代文学評論』第一巻第三期　一九三一年六月十日

（2）『小説月報』第二十二巻二号の目次では「将軍的頭」本文では「将軍底頭」となっている。張平は前者をとっている。新中国書局発行の単行本のタイトルは『将軍底頭』。施蟄存自身は、八〇年代以降に出版された版本は、ほとんど現代中国語の標準的標記に直し、「将軍的頭」としている。

（3）たとえば石秀が楊雄に潘巧雲の浮気現場をおさえた話をして聞かせるとき、潘巧雲が願ほどきに海闍黎の寺へ行き酒気を帯びて帰ってきた、と証言する（その台詞は原作のまま）のだが、潘巧雲が寺に出かけた夜には、石秀は遊廓に泊って遊女に対してサディスティックな欲望を満たす設定になっているので、潘巧雲が酒気を帯びて帰ったのを見ることが出来たはずがなく矛盾している。石秀が嘘をついて証言にリアリティをもたせようとしていると解釈できなくもないが、それは正直な石秀のイメージに反する。また第三節で「石秀は遊廓に入ったことがない」云々の説明があるのに、第四節では「このようなところは昔叔父に連れられて一度入ったことがあるが、その後は一度も入っていない、とふと思った」となっていて矛盾している。

（4）「我走過的道路（中）」（人民文学出版社一九八四年五月）五十八頁〜五十九頁

（5）新中国書局一九三二年初版、一九三三年再版。一九八八年十二月上海書店影印本は再版本による。

（6）前注影印本でも、また一九八〇年代になってからの作品集『新感覚派小説選』や『十年創作集　上　石秀之恋』でも、その矛盾する箇所は修正されている。

（7）「我的創作生活的歴程」（『燈下集』一九三七年一月）のなかで、施蟄存は楼適夷による「新感覚派」という評価を否定し、「フロイドの心理学を応用したにすぎない」と述べている。

（8）「張平論文の内容」の項の二つの引用文を参照のこと。

（9）厳家炎「略談施蟄存的小説」（『中国現代文学研究叢刊』一九八五年三月）

第一章 「鳩摩羅什」の成立

私が施蟄存文学とフロイトの精神分析の関係に注目したのは、中国文学研究同人誌『咿唖』[1]に楚迪の小説「聴我説，聴我説，没有桃源」(話を聴いてよ、桃源郷はないのだよ)についての作品論を書いたことと関係している。この論文中で取り上げた盧潔峰の評論は、この作品を「フロイト主義の図解」として酷評していた。それだけなら私はそのままこの問題を忘れ去ったかも知れない。ところがその後、北京大学の厳家炎教授が施蟄存をはじめとする中国の「新感覚派」を論ずる際にも同じ「フロイト主義の図解」という言葉を用いていることがわかり、それが偶然の一致ではないことに気が付いた。厳家炎の論調は全体として、施蟄存の諸作品に肯定的評価を与えるものであったが、ただフロイト主義の問題については、否定的評価が下されていた。盧潔峰、厳家炎両氏のフロイト主義的図式に対する一致した見解は、一九八〇年代初めの「精神汚染除去キャンペーン」(外国特に西洋の自由主義的思想や意匠がターゲットになり、テレサテンの歌が「エロチック」だと禁止された)と何らかの関連性を持っていたと思われるが、それにしても、彼らが綿密な実証をすることなく、作品がフロイト主義の図解であると決めつけ、それを断罪してしまっている点は、私にはいかにも奇妙に思われた。

そういった問題意識から、私は施蟄存の諸作品及びそれらに関する中国人研究者たちの論評を読んだ。その結果、私はこの問題が、中国的マルクス主義の観点から捉えられたフロイト理論に対する偏見といった性質の問題とか、何々主義、何々派といった問題よりも、むしろリアリティとはなにか、というようなリアリズムの原則的問題、及びどのようにリアリティを形成するかという創作過程の問題であると考えるに至った。

施蟄存の歴史小説集『将軍底頭』についての二つの論評の違いがこのことをよく著している。

国内では従来故事を題材とする作品（戯曲、小説を問わず）は、ほぼ全て「古人の口を借りて現代人の言葉を語る」方法を用いてきた。純粋な故事小説はまれにしか見られないようだが、有るとすれば、『将軍底頭（将軍の首）』を記録の最初とすべきである。『将軍底頭』が純粋な古事小説と言えるのは、全く人物を現代化していない点にある。彼らの意識界には現代人のみが有する思想は見られないし、彼らの口からは現代人のもつ言語は出てこない。たとえ作者自身の観察や手法がともに現代的であるにしても……。古人の心理や苦痛は彼ら自身には書けないし、わかってもいない。しかし作者は巧妙に現代芸術という道具を用いて描き出し、それらを誰にでも理解できるものにしている。(2)

施蟄存のこの種の創作傾向を代表する作品は、「鳩摩羅什」、「石秀」、「在巴黎大戯院」、「魔道」等を挙げねばならない。これらの小説の中で、作者はフロイト主義を用いて人物の心理を解釈、推定することに力をつくし、挙句の果てにはそれを用いて、根本的に人物や物語を改造し、古人を現代化し、古人をフロイト主義化するに至って、フロイト学説の消極的要素を比較的多く体現している。(3)

前者は施蟄存が編集に従事した雑誌『現代』に掲載された無署名の書評から引用したものであり、後者は北京大学教授で流派研究をキーワードに文学史の見直しを提起した北京大学厳家炎教授の論評「略談施蟄存的小説」（施蟄存の小説を少しばかり語る）からの引用である。両者の論点は真っ向から対立している。たとえ書かれた時期が三十年代と八十年代で五十年もの隔たりがあるにせよ、同じ作品に対する評価が、これ程正反対になり得るものだろうか？

これから行う作業は、施蟄存自ら、最初にフロイトの精神分析を応用して書いた心理小説だと証言している「鳩摩羅什」（『将軍底頭』の中の第一篇）を執筆するに際し、彼が史的文献の考察と取捨選択によってどのように「人物や物語」を「改造」して行ったかを明らかにし、その創作過程とフロイディズムとのかかわりが如何なるものであるかを導き出すためのものである。そうすれば、自然に先の疑問に対する回答が得られるであろう。

Ⅰ.「鳩摩羅什」のテクスト

施蟄存の小説「鳩摩羅什」の初出は、『新文藝』第一巻第三期（一九二九年十一月十五日）である。単行本では新中国書局版の『将軍底頭』に収録されているが、これは上海書店から復刻版が出ているので、テクストとしてはこれを用いる。引用は略称【施】で示す。

Ⅱ.史的文献

『晋書』第九十五　列伝第六十五「鳩摩羅什」（中華書局）→略称【晋】
『梁高僧傳』「鳩摩羅什」梁慧皎撰（『漢訳仏典』中国の古典十、学習研究社）[4]、→略称【高】
『出三蔵記集』巻十四　鳩摩羅什傳一　梁釈僧祐撰　中華書局　一九九五年十一月→略称【出】

なお、小説も含め訳文はすべて拙訳である。

Ⅲ．素材の処理状況

(1) 母親との最後の対話

【晋】有頃，羅什母辭龜茲王往天竺，留羅什住謂之曰：「方等深教，不可思議，傳之東土，惟爾之力。但於汝無利，其可如何？」什曰：「必使大化流傳，雖苦而無恨。」

（あるとき、羅什の母親がクチャ王に別れを告げ天竺に行こうとし、羅什を留めて言った。「不可思議なる教理を深めてから、それを東の国へ伝えるのです。それはあなたにしか出来ない。けれどもあなたには利益はないのです。どうすべきと思いますか？」羅什が言った。「大化を流伝せばなりません。苦労をしても恨みには思いません。」）

【高】有頃什母，辭往天竺。謂龜茲王白純曰。汝國尋衰，吾其去矣。行至天竺，進登三果。什母臨去，謂什曰。方等深教，應大闡真丹。傳之東土。唯爾之力。但於自身無利。其可如何。什曰。大士之道，利彼忘軀。若必使大化流傳，能使悟矇俗，雖復身當爐鑊苦而無恨。於是留住龜茲，止於新寺。

（あるとき羅什の母が暇を告げて天竺に行こうとした。クチャ王白純に向かって言うには、貴方の国は衰えて行くでしょうから、私はここを去ります。天竺に行って三果に登るのです、と。羅什の母が去るときに、羅什に向って言いました。教理が深まったら、真丹（中国）で大いに講釈しなさい。これを東の国へ伝えることは、あなたにしかできません。ただ、それはあなた自身には利するところがありません。どうしますか。羅什は言いました。大士の道は他人を利して我が肉体を忘れることです。大化を流傳させることができ、蒙俗を悟らせることができるなら、わが身を焼かれる苦しみを味わおうとも恨みません、と。そこでクチャに残し、新しい寺に留めおいた。）

【出】（記載なし）

【施】但是鳩摩羅什還並未忘記了從前母親離開龜茲國回到天竺去的時候對他說的和他對她說的那些話。她是早已先知着他是定命着把不可思議的教義宣傳到東土去的唯一的僧人，但這事業却於他本身是有害無利的，他對於她底預告，曾應允着不避自身底苦難去流傳佛家底教化。

（けれども、鳩摩羅什は、かつて母親がクチャを離れて天竺に戻ったときに、彼に話した言葉と、彼が彼女に話した言葉を忘れていなかった。母は彼が不可思議な教義を東の国に伝えるように運命付けられた唯一の僧であるが、この事業が彼自身には有害で利するところのないことを、早くから知っていたのである。彼は母の予告どおり、自分自身の苦難を受けいれて避けることなく仏教の教えを伝えたのであった。）

記載のある三者を比較してみると、この挿話においては、施蟄存は『晋書』と『高僧傳』において文語文で書かれた内容を白話口語体で表現しているだけで、内容的には史的文献に忠実であり、ほとんど手を加えていないと言ってよい。『高僧傳』は『晋書』に見えないクチャ王の名前白純（『出三蔵記集』では別の個所に帛純と記されている）や母親がインドに去るに際し羅什を新寺に留めた挿話に言及する（ただし、『太平廣記』版では、鳩摩羅什の母との挿話がない）が、「小説」ではいずれにも言及がなく、「小説」におけるこの個所は『晋書』に依拠して書かれたものである。

(2) 鳩摩羅什の星

【晋】苻堅聞之，密有迎羅什之意。會太史奏云：「有星見外國分野，當有大智入輔中國。」堅曰：「朕聞西域有鳩摩羅什，將非此邪？」

（苻堅はその話をきいて、ひそかに羅什を迎える気になっていた。會太史が奏上して言った。「外国の領域に星が見えます。

きっと大智の人が中国に入って助けてくれるに違いありません。」苻堅が言った。「朕は西域に鳩摩羅什あり、と聞いている。その者のことではないのか?」)

【高】至苻堅建元十三年遂次丁丑正月，太史奏云。有星見於外國分野。當有大德智人，入輔中國。堅曰。朕聞，西域有鳩摩羅什，襄陽有沙門釋道安。將非此耶。

(苻堅の建元十三年、丁丑正月になって、太史が奏上して言うには、外国の領域に星が見えます、大徳智の人が、中国に入り助けるに違いありません、と。苻堅が言った。朕は西域に鳩摩羅什あり、襄陽に沙門釋道安ありと聞いているが、その人のことではないのか、と。)

【出】苻氏建元十三年，歳次丁丑，正月，太史奏有星見外國分野，當有大德智人入輔中國。堅素聴什名，乃悟曰:「朕聞西域有鳩摩羅什，將非此耶?」

(苻氏の建元十三年、丁丑の歳の正月、太史が外国の分野に星が見える、大徳の智者が中国に入って助けるに違いない、と奏上した。苻堅はもともと鳩摩羅什の名を聴いていて、すぐに悟って「朕は西域に鳩摩羅什がいると聴く、このことではないだろうか」と言った。)

【施】(記載なし)

『晋書』『高僧傳』『出三蔵記集』いずれにも記載のある鳩摩羅什の星のことを、施蟄存が触れていないのは、苻堅などの鳩摩羅什とは直接の関係をもつに至らなかった人物を登場させなければならなくなる煩雑さがあったことと、鳩摩羅什という聖人の誕生を、星という宗教的逸話の定石を用いて神格化する意図が、施蟄存にはなかったからであろう。

（3）魔性との闘い

【晋】（記載なし）

【高】後於寺側故宮中，初得放光經。始就披讀，魔來蔽文，唯見空牒。什知魔所爲，誓心踰固。魔去字顯。仍習誦之。復聞空中聲。曰。汝是智人。何用讀此。什曰。汝是小魔。宜時速去。我心如地不可轉也。

（後に寺のそばの古い宮殿にて、初めて放光経を得た。それを読もうとすると、魔が来たりて文を覆い、空牒しか見えない。〔羅〕什は魔の仕業と知り、心をしっかりと固めるよう誓った。魔が去り字が現れると、これを学び誦した。復た空中に声がして言う。汝は智の人である。これを読むまでもない、と。（羅）什は言う。汝は小魔である。今のうちに早く去れ。わが心は大地のごとく、ぐらつかせることはできぬ、と。）

【出】於亀茲王帛純王新寺得放光經，始披讀，魔來蔽文，唯見空牒。什知魔所爲，誓心愈固，魔去字顯，仍習誦之。後於雀梨大寺讀大乘經忽聞空中語曰：汝是智人，何以讀此？」什曰：「汝是小魔，宜時速去！我心如地，不可轉也。」

（クチャ王帛純の新寺で放光経を得、それを読もうとすると、魔が来たりて文を覆い、空牒しか見えない。〔羅〕什は魔の仕業と知り、心をしっかりと固めるよう誓った。魔が去り字が現れると、これを学び誦した。復た空中に声がして言う。汝は智の人である。これを読むまでもない、と。〔羅〕什は言う。汝は小魔である。今のうちに早く去れ。わが心は大地のごとく、ぐらつかせることはできぬ、と。）

【施】……在這裡我是如同在沙漠裏一様地沒有看見什麼，我相信我已經能夠生活在這個華麗的大城裏如在沙漠裏一様的不經意，不被身外的魔鬼引誘了去，以致敗壞了道行。但是，你，我勸你立刻就離開此地，否則，請讓我立刻離開了你，因爲，我怕，只有你會得破壞了我。……

（ここにいて私は砂漠で修行していたときのように、何も見えない。この華麗な都会にいても砂漠にいるのと同様に意に染まず、身外の魔鬼に誘惑されて、修行の成果を破壊されてしまうことはないと信じる。しかし、おまえ、すぐにここを去って欲しい、でなければ、私をただちにおまえのもとから去らせてくれ、私は怖いのだ。おまえだけが私を堕落させられることが。）

【施】……我害怕我快要失掉我底定力了，善女人，讓我回進去罷。你看，月光已經給黒雲遮着了，我知道這裏有着最可怕的魔鬼。

（私は自分の力が失われようとしているのを恐れる。善良なる女人よ、建物に入らせてくれ。ほら、月はもう黒雲に覆われた。そこには恐ろしい魔鬼が潜んでいるのがわかっている）

『晋書』には鳩摩羅什が修行中に魔性と戦ったという記述はない。『高僧傳』に出てくる「魔」は、経文を読む邪魔をして字を隠したり、賢いお前は勉強の必要はあるまい、と鳩摩羅什を高慢に導こうとして失敗する。『出三蔵記集』の記述はほぼ『高僧傳』と同内容である。人間にとって最大の誘惑といえるのは、何と言っても異性の魅力である。施蟄存はそのような宗教色の濃い魔性ではなく、若くて美しいクチャ王女を魔性として配している。これを新たに物語につけ加えたのは、施蟄存の現代的な性意識であろう。特にこのクチャ王女をクローズアップしている点に、この作品の重要な特徴が表れているのだが、その点については後で再び触れる。

(4) クチャ王女を娶る

【晋】光見其年齒尚少，以凡人戯之，強妻以龜茲王女，羅什距而不受，辭甚苦至。光曰：道士之操不踰先父，何所固辭？乃飲以醇酒，同閉密室。羅什被逼，遂妻之。

（呂光は鳩摩羅什が若いのを見て、凡人同様にこれに戯れ、クチャ王女を妻とすることを強制した。羅什はこれを拒んだが、固く拒みつつ苦しんだ。呂光は道士の操は先父を踰えずというが何故固辞するのか、と言い、美酒を飲ませて王女とともに密室に閉じ込めた。羅什は圧力に負けて、結局クチャ王女を妻とした。）

【高】光既獲什，未測其智量。見年齒尚少，乃凡人戲之，強妻以龜茲王女。什拒而不受。辭甚苦到。光曰。道士之操不踰先父。何可固辭。乃飲以醇酒，同閉密室。什被逼既至，遂虧其節。

（呂光は羅什を捕えたが、その智がどれほどのものか測りかねていた。年齢が若いのを見て、凡人同様にこれに戯れ、クチャ王女を妻とすることを強制した。羅什はこれを拒んだが、固く拒みつつ苦しんだ。呂光は道士の操は先父を踰えずというから、固辞はできまいと言い、美酒を飲ませて王女とともに密室に閉じ込めた。羅什はここまでされて、節を欠くこととなった。）

【出】光性疎慢，未測什智量，見其年尚少，乃凡人戲之，強妻以龜茲王女。什拒而不受，辭甚苦道。光曰：「道士之操不踰先父，何所苦辭？」乃飲以淳酒，同閉密室。什被逼既至，遂虧其節。

（呂光は性格が傲慢で、鳩摩羅什の智がどれほどのものか測りかねていた。年齢が若いのを見て、凡人同様にこれに戯れ、クチャ王女を妻とすることを強制した。羅什はこれを拒んだが、固く拒みつつ苦しんだ。呂光は道士の操は先父を踰えずというから、固辞はできまいと言い、美酒を飲ませて王女とともに密室に閉じ込めた。羅什はここまでされて、節を欠くこととなった。）

【施】到後來呂光將他和她都灌醉了酒，赤裸了身子幽閉在同一間陳設得異常奢侈的密室裏，以致自己褻瀆苦行，把不住了定力，終於與她犯下了姦淫……

（後になって呂光は彼と彼女を酒で酔わせ、裸にして、異常に贅沢にしつらえた密室に閉じ込め、自ら苦行を冒涜するように至らしめ、定力《じょうりき》を把持できずに、終に彼女と姦淫を犯したのである。）

『晋書』と「高僧傳」および『出三蔵記集』はほぼ同内容で、「高僧伝」の著者が『晋書』を参照したか、あるいはその逆であろうことは言い回しの共通点からも明らかであるが、施蟄存もほぼそのまま内容を踏襲していると言ってよい。演出効果を高める為に、「彼と彼女」を酒に酔わせ「裸にして」「贅沢にしつらえた」密室に閉じ込める形に脚色しただけである。

ちなみに『晋書』「高僧伝」および『出三蔵記集』でもクチャ王女が登場するのは、この場面だけである。しかし施蟄存は、さらに魔性と闘う場面にも、長安に向かう場面にもクチャ王女を登場させた。しかもクチャ王女の様子とその憂鬱心理、そして死の挿話を追加し、重要な一場面として描き出している。

(5) 姚興による厚遇と訳経のこと

【晋】姚興遣姚碩徳西伐，破呂隆，乃迎羅什，待以國師之禮，仍使西明閣及逍遙園，譯出衆經。羅什多所暗誦，無不究其義旨，既覧舊經多有紕謬，於是興使沙門僧叡、僧肇等八百餘人傳授其旨，更出經論，凡三百餘巻。…惟為姚興著實相論二巻，興奉之若神。

(姚興は姚碩徳を西伐に派遣し、呂隆を破り、羅什を迎え、国師の礼をもって待し、西明閣および逍遙園にて、たくさんの経文を訳出させた。羅什が多数暗誦していたものについては、其の意味や趣旨を究めないものはなく、古い経文に多くの誤謬があるのを見て、沙門の僧叡、僧肇等八百餘人に、その趣旨を伝授し、更に經論を出したが、それは全部で三百巻あまりあった。…姚興のためにだけ『実相論』二巻を著し、姚興はこれを神のごとく奉った。)

【高】興遣隴西公碩徳西伐呂隆。隆軍大破。至九月。隆上表歸降。方得迎什入關。以其年十二月二十日至于長安。興待以國師之禮。甚見優寵。自大法東被。始於漢明。涉歷魏晉。經論漸多。而支竺所出。多滞文格意。興少崇三寶。鋭志講集。什既至止。仍請入西明閣及逍遙園譯出衆經。什既率多暗誦。無不究盡。轉能漢言。音訳流便。既覧舊經。義多紕僻。皆由先度失旨。不與梵本相應。於是興使沙門僧䂮、僧遷、法欽、道流、道恒、道標、僧叡、僧肇等八百餘人。諮受什旨。更令出大品。什持梵本。…

（姚興は隴西公碩徳を派遣し、呂隆を西伐、呂隆軍に大勝した。九月になって呂隆は投降の書面を送ってきた。そこでようやく羅什を関内に迎え入れることができ、その年十二月二十日に長安についた。姚興は国師の礼をもって遇し、甚だ寵愛された。仏法が東に伝わったのは、漢の時代に始まる。魏晋に広まり、経論は次第に多くなったが、インドから伝わったものは、文章がわかりにくくなっているものが多かった。姚興は若くして三宝を崇め、優れた講釈には敏感であった。羅什が来てからは、西明閣及び逍遙園に招きいれ、多くの経文を訳出させた。羅什は経典をたくさん暗記しており、究めつくさないものはなかった。それを漢語に転じて話すことができ、その発音と訳語は流便であった。古く伝わる経典を見ると、意味の誤謬が多く、本来の趣旨が失われていたので、梵語のものと相応しなかった。そこで沙門の僧䂮、僧遷、法欽、道流、道恒、道標、僧叡、僧肇等八百餘人に、羅什のことばを伝授させ、更に大品を出させた。羅什は梵本を持っていた。…）

【出】到其年（＝弘始三年）十二月二十日，什至長安，興待以國師之禮，甚見優寵。（中略）什既至止，仍請入西明閣、逍遙園，譯出衆經。

（その年十二月二十日に長安についた。姚興は国師の礼をもって遇し、甚だ寵愛された。羅什が来てからは、西明閣及び逍遙園に招きいれ、多くの経文を訳出させた。）

【施】（訳経の内容と経緯について記載なし）

『晋書』にも「高僧伝」にも『出三蔵記集』にも記載されている鳩摩羅什が姚秦に迎えられた経緯については、小説のなかでは、周知の事実のような扱いで、プロットの展開のなかで、垣間見えるような描き方をしているが、仏教の古い経典の誤謬を是正させたエピソードや「高僧伝」に見られる「轉能漢言。音訳流便」つまり漢語の会話にすぐれ、翻訳が流暢であった、という挿話は採用していない。施蟄存は鳩摩羅什の仏教者としての業績には全く無関心であるばかりか、鳩摩羅什以前の仏教経典の状況や『実相論』のような著作、そして鳩摩羅什の漢語の翻訳能力などにも無頓着である。施蟄存は後秦の姚興が鳩摩羅什を国師待遇で迎えたことは、必要な設定だったので触れているが、どのような経典をどのように講釈したのかについては、ほとんど描いていない。修行僧たちとのやり取りの中で、「色即是空」とか「受想行識」のような「般若心経」のなかに出てくる文句は引用しているが、「般若心経」が鳩摩羅什が訳したものである、という説があることについては、一言も言及しない。「般若心経」の名すら作品には登場しない。施蟄存はそのような鳩摩羅什の仏教者としての業績には関心がうすいか、あるいは、作品の主題に合わせて意図的に排除したものと考えられる。彼が描き出したのは、鳩摩羅什の人間臭い部分に限られている。

（6）政治的知見・予言

【晋】光還，中路置軍於山下，将士已休，羅什曰：「在此必狼狽，宜徙軍隴上。」光不納。至夜，果大雨，洪潦暴起，水深数丈，死者数千人，光密異之。

光欲留王西国，羅什謂光曰：「此凶亡之地，不宜淹留，中路自有福地可居。」光還至涼州，聞符堅已為姚萇所害，於是窃号河右。屬姑臧大風，羅什曰：「不祥之風当有姦叛，然不労自定也。」俄而有叛者，尋皆殄滅。〈以下略〉

（呂光は兵を引き上げ、途中山のふもとに軍を駐屯させた。将兵はすでに休んでいた。羅什は「ここでは必ず狼狽することになる、軍を畝の上に移動させるがよろしかろう」と言ったが、呂光は聞き入れなかった。夜になって、大雨が降り、洪水となって数千人の死者が出た。呂光はひそかに怪しんだ。

呂光は王西国に留まることを欲したが、羅什は呂光に「ここは凶運の地なので、長く留まるのはよろしくない。途中に滞在によい地がある」と言った。呂光は涼州に戻ると、符堅がすでに姚萇に殺害されたと聞かされ、そこで河右で天子を僭称した。所領の姑臧で大風が吹いたので、羅什は「不祥の風が吹けば反乱が起きるに違いないが、労せずして自ずと定まる」と言った。突然反乱するものが現れたが、まもなく、みな滅ぼされた。）

【高】光還中路，置軍於山下，将士已休。什曰。不可在此。必見狼狽。宜徙軍隴上。光不納。至夜。果有大雨。洪潦暴起。水深数丈，死者数千。光始密而異之。什謂光曰。此凶亡之地。不宜淹留。推遷揆数。應速言帰。中路必有福土可居。光従之。至涼州，聞符堅已為姚萇所害。光三軍縞素。大臨城南。於是竊号関外。年称太安。太安二年正月。姑臧大風。什曰。不祥之風。当有姦叛。然不労自定也。」俄而梁謙、彭晃相係而反。尋皆殄滅。

（呂光は途中で、山のふもとに軍を駐屯させた。将兵はすでに休んでいた。羅什は「ここにいてはいけない。必ず狼狽することになる、軍を畝の上に移動させるがよろしかろう」と言ったが、呂光は聞き入れなかった。夜になって、果たして大雨が有り、洪水となって数千人の死者が出た。呂光はひそかに怪しんだ。羅什は呂光に、ここは凶運の地なので、長く留まるのはよろしくない。反乱を抑えるには、すぐに帰ると言うべきです。そうすれば途中に必ず滞在によい地があると言った。呂光は涼州に至ると、符堅がすでに姚萇に殺害されたと聞かされた。呂光は軍隊に喪服を着せ、城南に臨んだ。こうして関外で天子を僭称し。年号を太安と称した。太安二年正月、姑臧で大風が吹いたので、羅什は「不祥の風が吹けば反乱が起きるに違いないが、労せずして自ずと定まる」と言った。突然梁謙と彭晃が示しあって反乱したが、まもなく、みな滅ぼされた。）

【出】光還中路，置軍於山下，将士已休。什曰：「不可在此。必見狼狽。宜徙軍隴上。」光不納。至夜。果大雨，洪潦暴起，水深数丈，死者数千。光始敬異之。什謂光曰：「此凶亡之地，不宜淹留。推數揆運，應速言歸，中路必有福地可居。」光從之。至涼州，聞苻氏已滅，遂割據涼土，制命一隅焉。［改行］正月，姑臧大風、什曰：「不

祥之風，当有姦叛，然不労自定也。」俄而梁謙、彭晃相継而反，尋皆殄滅。（呂光は途中で、山のふもとに軍を駐屯させた。将兵はすでに休んでいた。羅什は「ここにいてはいけない。必ず狼狽することになる、軍を畝の上に移動させるがよろしかろう」と言ったが、呂光は聞き入れなかった。夜になって、果たして大雨が降り、洪水となって数千人の死者が出た。呂光は敬し怪しんだ。羅什は呂光に、ここは凶運の地なので、長く留まるのはよろしくない。反乱を抑えるには、すぐに帰ると言うべきです。そうすれば途中に必ず滞在によい地があると言った。呂光は涼州に至ると、苻堅が滅亡したと聞かされた。そこで涼州で割拠し、ここから号令を発した。太安二年正月、姑臧で大風が吹いたので、羅什は「不祥の風が吹けば反乱が起きるに違いないが、労せずして自ずと定まる」と言った。突然梁謙と彭晃が続けざまに反乱したが、まもなく、みな滅ぼされた。）

【施】（記載なし）

『晋書』では、クチャ征服の後、涼州へ戻る途中で大雨と洪水を鳩摩羅什が予言した逸話、謀反者が出ることを予言した逸話、それから省略した部分には、段業の追討に反対した逸話、中書監張資の病死を予言した逸話、更に呂一族の滅亡を占った逸話などが取り上げられている。「高僧傳」も文面は若干異なる部分があるが、『晋書』引用部分とほぼ同内容の記述がある。『出三蔵記集』もほぼ「高僧伝」と同文である。しかし施蟄存はこれらを全く無視しているか、婉曲に触れるだけである。これらの逸話はいずれも鳩摩羅什を超人視あるいは英雄視する方向につながるため、小説のプロットが英雄物語の論理に支配されるのを避けたかったからであろう。

施蟄存は、このエピソードに代わるものとして、文献的裏付けのない、クチャ王女の死の場面を配置した。その意味は後で分析する。

(7) 法話の中止及び宮女のこと

【晋】嘗講於草堂寺，興及朝臣，大德沙門千有餘人肅容觀聽，羅什忽下高坐，謂興曰：有二小兒登吾肩，欲鄣須婦人。興乃召宮女進之，一交而生二子焉。

(嘗て草堂寺で講じたとき、姚興、朝臣たち、大徳の沙門千有余人が粛然と聞いていたが、羅什は忽然と講壇から降りると、姚興に二人の小児が我が肩に登った、婦人を申し受けたい、と言った。姚興は宮女を召して、これに与え、交わりをもって二子を生んだ。)

【高】(記載なし)

【出】(記載なし)

【施】第一眼他看見的是如昨日一樣地在前排坐着的幾個宮女，而在那個伎女所曾坐過的座位上，他所看見的是什麼？這是使他立刻又閉上了兩眼的。……他底妻底幻像又浮了上來，在他眼行動着，對他笑着，頭上的玉蟬在風中顫動，她，漸漸地從壇下走進來，走上了講壇，坐在他懷裏，做着放浪的姿態。並且還摟抱了他，將他底舌頭吮在嘴裏，如同臨終的時候一樣。

大智鳩摩羅什完全不能支持了。他突然停止了講經，閉着眼在講壇上發着顫抖，臉色全灰白了。底下聽講的人衆全覺得他有了異樣，大家嘩吵起來，說他一定是急病了。弘治王自己走上講壇，在他耳邊問着：

——怎麼了？國師，怎麼了？

羅什還是閉着眼，指着那個宮女坐着的地方，喘息着說：

——孽障，我底妻，兩個小孩子，這是孽障。

次日，滿城都沸揚着國師鳩摩羅什在講經的時候忽然中意了一個宮女，當夜國王就把那個宮女賜給他做妻子。

(ひと眼で見えたのは昨日同様前列にすわっていた数名の宮女であったが、あの妓女が座っていた席に彼が見たものは何だったか。そのため彼はすぐに両目を閉じた。……彼の妻の幻像が浮かび上がってきて、彼の目の前で体を動かし、彼に向かって笑い、髪飾りが風に揺れた。女は次第に講壇の下まで歩いてくると、壇上にあがって、彼の懐にすわり込んで、放恣な姿を作った。さらに彼に抱きついて、臨終のときのように、彼の舌を口の中に含んで吸ったのである。

大智のひと鳩摩羅什は全く持ちこたえられなくなった。突然講経をやめると、目を閉じたまま壇上で震えていた。顔は真っ青になっていた。壇下で聴講していた人々は彼の異常に気が付き、騒ぎ始めた。国師さまは急に病になられたと。弘治王は自ら壇上に上がり、羅什の耳元で、「どうされたのだ、国師どの、どうなされた？」と問うたが、羅什は目を閉じたまま、宮女のすわっていたところを指さしながら、あえぐような声で「これは罰じゃ、妻よ、二人の子よ、これは罰じゃ」と言った。

翌日国師鳩摩羅什が講経の際に突然一人の宮女を見初め、その晩国王はその宮女を国師の妻として賜った、という噂で城内が沸騰したのである。）

「高僧傳」や『出三蔵記集』には見えないこの場面を、施蟄存は『晋書』で目にしたとき、大いに想像をたくましくしたものと見えて、『晋書』で57字の内容を、自分の作品では五、六倍にふくらませている。そしてそこへ『晋書』には無い妻クチャ王女の幻影とそれを呼び起こす媒介としての妓女孟嬌嬢とを書き込んだ。それは後の針呑みの場面の伏線を設けることでもあった。

(8) 十人の伎女

【晋】興嘗謂羅什曰：大師聰明超悟，天下莫二，何可使法种少嗣。遂以伎女十人。逼令受之。爾後不住僧坊，別立解舍，諸僧多効之。

（姚興はかつて羅什に言った。「大師は聡明にして悟りを超越しておられる、天下に二人とない人だ、法種を残さずにおいてよいわけがない」と。そこで伎女十人を無理に受けとらせた。爾後僧坊には住まず、別に官舎を建てたので、諸僧は多くこれに倣った。）

【高】姚主常謂什曰。大師聰明，超悟，天下莫二。若一旦後世，何可使法种無嗣。遂以妓女十人逼令受之。自爾以來，不住僧坊。別立解舍，供給豐盈。

（姚興は常に羅什に言う。「大師は聡明にして悟りを超え、天下に二人とない人だ。後になって法種、跡継ぎを残さぬことはできぬ」と。そこで妓女十人を無理に受け取らせた。爾後僧坊には住まず、別に官舎を建て、豊かな生活をたまわった。）

【出】姚主嘗謂什曰：「大師聰明超悟，天下莫二，若一旦後世，何可使法種無嗣？」遂以妓女十人逼令受之。自爾以來，不住僧坊。別立解舍，供給豐盈。

（姚主はかつて羅什に言った。「大師は聰明にして超悟なること天ト無二である。後世のことを考えれば、法種を嗣ぐものを無くさせるべきではない。」と言い、妓女十人を無理やり受けとらせた。それ以来僧坊には住まず、別に官舎を建て、豊かな生活をたまわった。）

【施】就在這天晚晌，敕旨下來，給他遷居到來永貴里廨舍，並賜伎女十餘人，讓他廣弘法嗣。

（その日の晩、詔勅が下され、羅什を永貴里の官舎に遷居させ、伎女十余人を賜って、法嗣を広めよと命ぜられた。）

弘治王姚興（姚興の実際の元号は弘始であるが）の勅命によって、法嗣を残さんが為に十人の伎女を賜ったという内容のこの部分は、『晋書』「高僧傳」『出三蔵記集』とも、ほぼ同文と言える程であり、施蟄存もそのまま踏襲している。「高僧伝」および『出三蔵記集』は「諸僧は多くこれに倣った」の部分を、鳩摩羅什の権威を高めるためか、後世への影響を顧慮したためか、「豊かな生活を賜った」と変えている。小説は引用部分ではない別の箇所で、『晋書』の「諸僧は多くこれに倣った」という記述を踏襲している。不心得な僧侶が妓女遊びをするようになる設定である。

(9) 泥と蓮の比喩

【晋】（記載なし）

【高】每至講說，常先自說譬：「譬如臭泥，中生蓮華。但採蓮華，勿取臭泥也。」

（講説に行くたびに常に先ず自分から「臭い泥中から蓮の花が生ずるようなもので、蓮の花を取っても、臭い泥を取ってはならない」と言った。）

【出】每至講說，常先自說。譬喻如臭泥中生蓮花。但採蓮花，勿取臭泥也。

（講説に行くたびに常に先ず自分からたとえ話をして、「たとえば臭い泥は、中から蓮の花が生ずるが、蓮の花を取っても、臭い泥を取ってはならない」と言った。）

【施】他曾經對人說他底終於納了表妹爲妻這囘事，在他底功德這方面，是並沒有什麼影響的，這是正如從臭泥中會得產生出高潔的蓮花來，取蓮花的人不會得介意到臭泥的。（p.11–p.12）

（かつて羅什は人には従妹を妻に娶ったことによって、自分の功徳に関して、何も影響はなかった、臭い泥から高潔な蓮の花が生まれ出るが、蓮の花を取る人にはその臭い泥が気にならないようなものだ、と言っていた。）

ここでは二つの点を指摘しておかなければならない。先ず、施蟄存は、鳩摩羅什が比喩を用いるときの状況設定を変えている。「高僧傳」及び『出三蔵記集』では、十人の伎女を賜って官舎に移り住んだ後、法話の前に必ずこの比喩を用いて弁解のように自分の正当性を訴える内容になっているが、施蟄存はこれを従妹であるクチャ王女を妻としたことへの弁解として使わせている。第二に、比喩の内容を変えている。「高僧傳」では「蓮の花」を取るべきで「臭泥」を取ってはいけない、つまり、自分の行なった様々な行為のうち、お経の翻訳や解釈なら学んでもよいが、伎女を侍らせたり、ぜい沢をするような行為を真似てはいけない、という意味だった。施蟄存はそれを、蓮の花をとるのに臭い泥は気にならない、つまり、有難い仏の教義を学べるなら、僧侶の不行跡も気にならないはずだ、という意味に書きかえている。前者は教訓的な意味があるが、後者は単なる弁解にすぎない。

⑽　針呑みの妖術

【晋】爾後不住僧坊，別立解舍，諸僧多効之。什乃聚針盈鉢，引諸僧謂之曰：若能見効食此者，乃可畜室耳。因擧匕進針，與常食不別，諸僧愧服乃止。

（爾後僧坊には住まず、別に宿舎を建てたので、諸僧は多くこれに倣った。羅什は針を集めて鉢に満たし、諸僧を呼んで言った。「もしこれを呑めるものだけが、室を蓄えてよいのじゃ。」そうしてナイフを上に向け、針を呑み込んだ。普通の食べ物のように呑み込んだので、諸僧は恥じてやめにした。）

【高】（記載なし）

【出】（記載なし）

【施】他對那兩個僧人說：

——宿伎的是你們嗎？

——是的。

——爲什麼出家人這樣地不守清規呢？

那兩個僧人都諷刺地笑起來了。一個說：

——國師，其實你是不該處置這事情的。我們是奉承了你國師底教訓，你忘了嗎？你在草堂寺時說過的那些話。僧人是可以不必禁欲的。

——阿彌陀佛，你沒有聽見我說那一等僧人只能刻苦的禁欲生活。你們宿着伎，不錯，可以的，但你們有什麼功德，你們該証明給大衆看。有功德的僧人是有戒行的，有戒行的僧人是得了解脫的，即使每夜宿伎，他還是五蘊皆空，一塵不染的，你們知道嗎？

——那麼國師有什麼功德曾証明給大衆看呢？一個狡猾的僧人說。

——我嗎？我可以就証明給大衆看的。羅什說着叫侍者到佛龕里去取出一個鉢來，他開了蓋，遞給一個僧人。

——你看，這里是什麼？

——針。

羅什取回針鉢來，抓起一把針，吞下腹去。再抓了一把，又吞下腹去。看的人全都驚嚇了，一時堂前肅靜，大家屏着氣息。羅什吞到最後一把中間的最後一支針的時候，他一瞥眼看見旁邊正立着那個孟嬌孃，看見了她，立刻又浮上了妻底幻像，於是覺得一陣欲念昇了上來，那支針便刺着在舌頭上，再也吞不下去。他身上滿着冷汗，趁人不見的當兒，將這一支針吐了出來，夾在手指縫中。他笑着問這兩個僧人：

——你們能不能這樣做？

——饒恕了罷，國師，以後不這樣的犯規了。

在紛亂的贊嘆聲里，鳩摩羅什心裏慚愧着回了進去，但舌頭依然痛楚着。

（羅什は二人の僧に言った。

「妓女買いをしたのは、そちたちか？」

「さようでございます。」

「出家人がなぜ規律を守らぬのじゃ?」

二人の僧は嘲るように笑い出した。一人が言う。

「国師様、あなたにはこのことを処罰できますまい。我らは国師様の教えを頂いたのでござる。お忘れか。草堂寺で話されたことを。僧は禁欲するに及ばぬと。」

「南無阿弥陀仏、そちはどのような一流の僧のみが苦しい禁欲生活をなしうるか述べたのを聞いていなかったのだな。よかろう。妓女買いをしたというなら、それもよい。ならば、そちたちにどのような功徳があるか、ここで衆生に示さねばならぬぞ。功徳ある僧は戒律を得ておる。戒律を得た僧は解脱しておるから、妓女買いをしても五蘊皆空、一塵にも染まらぬのじゃ。わかっておるか。」

「では、国師様はどのような功徳を皆に示されるので?」と狡猾なひとりの僧が尋ねた。「わしか?　わしは衆生に示す功徳をもっておるぞ。」羅什は従者に仏間に行って鉢をとってくるように命じ、蓋をあけて、その僧に渡した。

「見よ、何がはいっておる。」

「針でございます。」

羅什は鉢を取り戻すと、針を手でつかみ、腹に呑みくだした。さらに、もう一つかみして、また呑みくだしたのである。見ていたものは驚き恐ろしくなり、館の前は静まり返って、人々は息をひそめるのだった。羅什が最後の一針を呑みこんだとき、孟嬌嬢がそばに立っているのが見えた。女の姿から、妻の幻影がよみがえり、一陣の欲念が沸き上がった来た。針は羅什の舌に突き刺さって呑みこめない。彼は冷や汗で全身びっしょりになったが、人が見ていない隙に、その針を吐き出して、指の隙間に挟み込んだ。彼は笑いながら、二人の僧に言った。

「そちたちにこれができるのか。」

「お許しくださいくださいませ。」

「お許しください、国師様、もう二度とこのような不埒なことはいたしませぬ。」ざわめく賛嘆の声のなか、鳩摩羅什は慚愧の思いを抱いて部屋に入っていった。舌は依然として痛んだ。）

ここでも施蟄存は『晋書』における五十字余りの記述をはるかにふくらませている。『晋書』では、多くの僧が、十人の妓女を賜って官舎に移り住んだ鳩摩羅什の真似をしたので、それを戒めるために針を呑んで見せたのだが、施蟄存は妓女買いをした二人の僧侶に対する戒めとしている。施蟄存は孟嬌嬢を、鳩摩羅什と死んだ妻とを結びつける幻想媒体として登場させており、その孟嬌嬢のところに鳩摩羅什が出かけるのは、その身分が妓女であると同時に、その容姿によって亡妻を呼びもどす巫女のように機能していることによる。

施蟄存はまた針呑みの最後で鳩摩羅什が孟嬌嬢の姿を見て欲情し、針が一本舌に刺さる場面を付け加え、その痛みが一生残ったということにしているが、後で述べるように、注目すべき設定であると考える。

⑾ 焼け残った舌

【晋】死於長安。姚興於逍遥園依外國法以火焚屍，薪滅形碎，惟舌不爛。

（長安で死んだ。姚興は逍遥園で外国の方法に依って火で遺体を燃やした。火が消え、遺体は形を留めなかったが、舌だけは爛れなかった。）

【高】今於衆前發誠實誓。若所傳無謬者，當使焚身之後，舌不燋爛。以偽秦弘始十一年八月二十日，卒於長安。是歳，晉義熙五年也。即於逍遥園，依外國法以火焚屍。薪滅形碎，惟舌不灰。

（今衆人の前で誠実なる誓いを発する。伝えるところに誤りなくば、身を焼いたのちも舌だけは焼け爛れないと。偽秦弘始十一年八月二十日、長安に卒す。この年は晋の義熙五年である。すぐさま逍遥園において、外国の法によって火で遺体を焼いた。火が消え遺体は形を留めなかったが、舌だけは灰にならなかった。）

【出】什臨終，力疾與衆僧告別曰：「因法相遇，殊未盡伊心，方復異世，惻愴何言！自以闇昧，謬充傳譯，若所傳無謬，使焚身之後，舌不燋爛。」以晉義熙中卒於于長安，卽於逍遙園，依外國法以火焚屍，薪滅形化，唯舌不變。

（羅什は臨終に際し、病をおして僧侶たちに別れを告げ、「法によって相まみえ、まだその御心を尽くしていないのに、この世を去るのは何とも言えず残念だ。暗愚の身ながら訳経の誤りを正してきたが、私の伝えるところが無謬であれば、遺体を焼いて後、舌は焼け爛れまい。」と言った。晋の義熙年間に長安で卒し、すぐに逍遥園で、異国のならわしにより火をもって遺体を燃やし、薪が消え、変わり果てた姿となったが、舌だけは変わりがなかった。）

【施】所以在他寂滅之後，弘治王替他依照外國方法舉行火葬的時候，他底屍體是和凡人一様地枯爛了，只留着那個舌頭沒有焦朽，代替了舍利子留給他底信仰者。

（ゆえにこの地で寂滅の後、弘治〈始〉王は外国の方法で彼の火葬をおこなったが、その死体は凡人と同様に干乾び爛れたが、その舌だけは焼け焦げ朽ちることなく残され、仏舎利の代わりに信者に残し与えられたのであった。）


施蟄存の文の前半は、『晉書』をそのまま口語訳したと言ってもおかしくない程だが、後半で、焼け残った舌を信者に残し与えたというくだりを付加している。「高僧傳」ならびに『出三藏記集』は、舌が焼け残る意味を、鳩摩羅什の臨終の言にもとづき、その訳業が正しかったことを示す証拠として解釈している。施蟄存は、宗教色の強いその解釈を取らず、独自の解釈を施しているが、それは後で考察する。

Ⅳ. 分析

上の作業から、施蟄存が『晋書』「鳩摩羅什傳」及び「梁高僧傳」または『出三蔵記集』「鳩摩羅什傳」を比較的ていねいに検討し、作品にとって必要な素材を選り分け、不要な素材を捨て去り、更に独自の素材を付加していった過程を見てとることができる。

施蟄存は鳩摩羅什の宗教者としての業績や英雄的、超人的な事跡には余り興味を示さず、この宗教人の最も人間的な、最も弱い部分に焦点を絞っている。三つの史的文献の中で、鳩摩羅什の人間的側面と関わる部分は、ほぼそのまま踏襲し、宗教者としての業績は悉く無視している。注目すべき事柄としては、クチャ王女および妓女孟嬌嬢についての描写が、史的文献ではクチャ王女が一度登場し、孟嬌嬢は全く登場しないのに、作品中では重要な位置を与えられていることが指摘できる。施蟄存が、姚興から鳩摩羅什に下賜された十人の妓女から着想して虚構の人物として造りだしたと思われるこの孟嬌嬢には、後の章で考察する『水滸伝』の「李師師」と同様に巫女的な役割が与えられている点で興味深い。

孟嬌嬢は鳩摩羅什にとって亡き妻の幻影をよみがえらせる巫女として触媒作用を果たすように、大きな紙幅を割いて描写されているが、重要なのは彼女ではなく、やはり、歴史上実在した人物クチャ王女の形象である。施蟄存の想像力は、クチャ王女のエピソードにおいて最大に膨らんでいるように思われる。

施蟄存がクチャ王女に注目したのは、呂光に強いられて破戒行為を犯すに至った後の鳩摩羅什の心理的葛藤を見る上では欠かせない人物だったからであろう。施蟄存は史的文献に記録されたクチャ王女との破戒事件から遡って、幼少期から青年期に至るまでの二人の関係を虚構する。特に修行の旅からクチャに戻って、壇上で法話をきかせる鳩摩羅什が、そのたびに自分の話に聞き入る美しいクチャ王女の姿を見て、誘惑に負けてしまいそうな自分を感じる場面は、結果を知っている我々には充分納得できる配置である。

「私の力では現在まだあの最大の誘惑には充分抵抗できない。」鳩摩羅什はクチャ王女に言う。「お願いだから、直ぐにここから立ち去ってくれ。でなければ拙僧をすぐにそなたから離れさせてくれ。恐らくそなただけが拙僧をだめにすることができるから。」彼はそのまま座禅室に閉じこもって、仏像の前で懺悔をつづける。施蟄存は鳩摩羅什に襲いかかる最大の魔鬼として「性の誘惑」を設定した。それは史的文献に記された破戒事件を、よりドラマチックにするための下準備である。

鳩摩羅什は呂光によって、ぜい沢にしつらえられた部屋に、酒を飲まされて理性を失ない、全裸でクチャ王女とともに閉じ込められる。若さゆえに当然犯してしまったとも言えるクチャ王女との過ちは、彼の心理に複雑な葛藤を生ずる。「彼女の為に戒律を破ったことに対しては自分が憎らしかったが、彼女に対する熱情が、在家の者のように受け入れられ、満足を得ていることは、自分でも予想できなかったことである。そのように戒律を見れば、一切の色声香触味はすべて確固として受け止めることができ、遠く砂漠の村に移り住んでまで、苦心して官能の誘惑を排除するには及ばないのである。」新しい悟りの境地に入った彼は、更に飲酒肉食も始め、在家人同様に生活するようになる。人々はそれでも彼の非凡さを信じたが、彼自身は内心では堕落を自覚しているのである。

しかしこの段階では、主人公の鳩摩羅什よりも脇役のクチャ王女の方が描写に精彩がある。施蟄存はフロイトを応用してクチャ王女の心理的葛藤を描写している。「あの監禁された密室内で彼女と初めての肉体関係をもったとき、彼は彼女が沈鬱な苦悶をもっているように深く感じたのだった。愛恋のゆえに、灼熱の肉体を彼に献げたことは、彼女の気持ちとしては喜ばしかったが、明らかに、彼がそれによって法身と戒律修行を毀損せられようとしていることがわかっているので、彼女の方も自身の罪を感じ、彼女の心中には又同時に、或いは彼女に降されるかも知れない天罰に対する恐怖感も生じていた。十数年来、この二つの心情が彼女の魂を浸蝕してきたので、性格も陰鬱になり憔悴していた。」

敬虔な仏教徒であるクチャ王女は、鳩摩羅什を経典に通暁した僧として尊敬すると同時に、異性に対する感情を抱いていた。その感情が肉体関係を持つことによってリビドーの充足を得たとき、それを促したエスに対して、仏教徒としての超自我の抑圧が始まった。それは罪の感情として表われ、又天罰に対する恐怖感として表われた。彼女はそれらによって、魂を犯され、性格もメランコリックになり、最終的には死に至るのである。しかしこの描写はフロイト流の説明をまたずとも、充分に納得できる内容の心理描写であろう。決して厳家炎氏の言うような図式的なものではない。もし仮にフロイト学説の図式をもっと典型的に取り込むなら、クチャ王女に対する鳩摩羅什の恋着は、本来母親に向けられるべきリビドーの代償満足であるという、エディプスコンプレックスの理論を持ち出すところであるが、施蟄存はそのようには描いていないのである。歴史的文献から鳩摩羅什に対する母親の影響が多大なものであることがわかっているだけに、鳩摩羅什をエディプス的な人物像に描かなかったことは、かえってフロイトを図式化する意図がなかったことの証明となろう。

ところで、クチャ王女にまつわって施蟄存が虚構した彼女の臨終場面は、幾つかの点で読者をとまどわせる。王女は死に際に、鳩摩羅什に最後の口づけを求める。そのこと自体は自然な感情の確認行為と見なしてよいが、作者は意図的にそれにクチャ王女が鳩摩羅什の舌を含んだという場面を添加したのである。死に臨んで、一人の病んだ弱々しい女性が、これほどまで強烈な愛欲表現をするものだろうか？　又それを求められた夫は何の抵抗もなく、自分の舌を妻の唇の中に挿入するものなのだろうか？

この疑問に答えることは、今は重要ではない。重要なのは、施蟄存にとって、この場面の描写が必要不可欠であった、ということなのだ。それはこの作品のフィクションとして重要な部分とかかわっているからである。

作品のクライマックスで、鳩摩羅什は妓女買いをした僧侶たちを納得させる為に針呑みの妖術を用いるが、その場面で、施蟄存は『晋書』に見えない、針が一本舌に刺さり、その痛みが一生残るという一節をつけ加えている。針が舌に刺さるのは、孟嬌嬢の姿を見た鳩摩羅什の脳裡に、亡き妻クチャ王女の幻影がよみがえり、それに心を奪われた結果である。明らかに、針が刺さるのは、鳩摩羅什の愛欲に対する懲罰とそれへの恐怖（去勢恐怖）を意味しており、その意味では、舌は愛欲（又は男性器）の象徴として機能している。舌――愛欲――クチャ王女という連環を成立させる為には、どうしても、臨終場面で、クチャ王女に鳩摩羅什の舌を口に含ませねばならなかったのである。

そして舌に愛欲の象徴としての役割を持たせたことは、鳩摩羅什が火葬されたとき、舌だけが焼け残ったという『晋書』にも「高僧傳」にも取り上げられている、現実には起こりえないはずの「伝奇」的挿話を、「高僧傳」の解釈のような宗教的権威を高めるための手段ではなく、すぐれて深い印象を読者に与える文学的メタファーのレベルにまで高めている。

施蟄存が、「かくて彼寂滅の後、弘治（始）王が外国の方式にならって彼を火葬に付した時、彼の遺体は凡人同様に焼けてしまったが、舌だけは焼け残って、仏舎利の代りに信者に残し与えられたのである。」と結んだ作品の末尾部分は、鳩摩羅什が死んでも愛欲（舌）は残り、信者に受け継がれたという寓意を獲得することになる。この世に愛欲がなくならない以上、その象徴としての鳩摩羅什の舌が焼け残ることには必然性があると読者は感じ、そこにリアリティを認めるのだ。

V．まとめ

客観的に見て現実には起こりえない事象を文学作品に描いたとしたら、果たしてリアリティは成立しうるであろうか？　この疑問に対する回答は、この「リアリティ」の意味をどう設定するかによって、異なるであろう。

本章のはじめに紹介した二つの論評のうち、無名氏の書評の方は、『将軍底頭』中の諸作品が、「古人の口を借りて現代人の言葉を語る」方法を用いない、純粋な故事小説であることによって、リアリティを獲得しているという見方であるのに対し、厳家炎の論理は、フロイト学説を前提概念として作品を図式的に構成することによって、リアリティを失ったという見方である。同じ歴史小説作品に関して、一見全く正反対の評価を下しているが、古人は古人であって現代人とは違うのだという認識においては一致している。ただ何処が現代人の特徴で、何処が古代人の特徴かというと、余り明確な基準があるようではない。つまり両者ともリアリティの成立を彼らの現代の読者としての主観に頼っているのである。

無名氏は「鳩摩羅什」という作品の欠点として、「霊的愛恋から肉の享楽に至る過程が鮮明に描かれていない」ことを指摘し、「作者が、僧が色欲の罠に落ちて行くのを描き、もしも精神的愛から描き始めて、一歩一歩肉欲の飾らぬ暴露に達するのであれば、効果は自然ずっと強烈であったろう」と述べているが、これは、現実の恋愛過程に対する無名氏の主観的認識を、作品世界におしつけているにすぎない。少なくとも小説のなかの鳩摩羅什の心理描写においては、精神的愛と呼べる要素は最初から見られず、女性への恋着は常に肉欲の誘惑を伴って描かれているし、それは非現実的でも何でもない。

厳家炎の論点は、最初から図式＝没リアリティと決めつけている。厳家炎教授にとって、物語は物語独特の口ジックを展開するものなのだ、という考えは理解することが困難であるのかもしれない。しかし物語には、物語的な必然性としてのパターンが存在することは周知のことで、ウラジミル・プロップが『昔話の形態学』等の本で論じたようなことは、ロシアの魔法昔話だけでなく、中国の近代小説のなかにもあるのだ。そういった物語の中では、むしろ図式こそが逆にリアリティを補完する働きをする。(5)

私は、たとえ現実には起こり得ないことであっても、それが心的現象を文学的形象としてメタモルフォーゼするという虚構化の過程を前提とする場合には、リアリティは成立すると考える。『晋書』の中で、舌が焼け残ったという記述を読むとき、我々はそれを歴史的事実として承認することはできない。そのような事は現実には起こり得ないからだ。我々はただその記述を「伝説」として認めるのみである。しかし、その舌が、愛欲のシンボルとして、フィクションの世界に表象化されたイメージであるならば、愛欲そのものが、人類が滅亡しないかぎりなくならないものである以上、それを象徴する舌が焼け残る設定は、物語的ロジックに合致することでリアルであると読者に承認されるのである。

追記：二〇〇四年に西安を訪ねる機会があり、鳩摩羅什ゆかりの草堂寺を見学させてもらった。そこで初めて知ったのは、境内に鳩摩羅什の遺骨を納めた「鳩摩羅什舎利塔」が「鳩摩羅什舎利堂」のなかに残っていたことである。舎利そのものを確認することはできなかったが、「舎利堂」の前に、「二柏一眼井」と名付けられた二本の柏の木と井戸があり、その説明文には、鳩摩羅什の舌が焼け残ったこと、それを舎利塔に収めたところ、それからしばらくして、蓮が芽を出し、井戸の上に花を咲かせた、というようなことが記されていた。『晋書』や『高僧伝』の記述は、このような伝説をもとに合理化されたのであろう。施蟄存が草堂寺を訪れたかどうかは明らかでないが、焼け残った舌に注目し、それをフロイド流に物語化したのは、施蟄存の創意である。立松和平、

(写真　右上　草堂寺山門　右下　鳩摩羅什舎利堂
左上　二柏一眼井　左下　同説明文　2004年青野撮影)

横松心平の『鳩摩羅什――法華経の来た道』（二〇一七年一月　佼成出版社）も、鳩摩羅什を描いた小説であるが、法華経を漢訳した高僧としての鳩摩羅什を法華経の内容とダブらせる形で、描きだしており、リアリズムの手法で作品化しているため、舌が焼け残る、とか、針呑みの妖術を使うなどの挿話を斥けている。それはそれですぐれた見識である。ここに附記しておく。

注

（1）当時、関西大学の大学院生とポスドクの研究者が中心となって運営していた。清末小説から中国現代文学まで全般的に扱っていたが、後にメンバーの関心は台湾文学に移行した。

（2）『現代』第一巻第五号

（3）厳家炎「略談施蟄存的小説」（『中国現代文学叢刊』一九八五年第三期）

（4）『太平廣記』巻八十九　異僧三　鳩摩羅什、も『高僧傳』を出典としているが、内容は、学習研究社版と異同がある。『太平廣記』では、鳩摩羅什の父母に関する記載を始め、出生や幼年期に関する記載がほとんどない。

（5）拙論：「死と再生」および「英雄美女救出譚」の中国現代文学における変異――丁玲「私が霞村にいた時」の政治的寓話、『EXORIENTE』Vol.20　大阪大学言語社会学会、二〇一三年三月

第二章　「黄心大師」をめぐって

施蟄存の歴史小説の最後の作品「黄心大師」(『文学雑誌』一九三七年第二期)は、彼の一連の歴史小説のなかでは特殊な作品である。と同時に施蟄存らしい作品でもある。

施蟄存の歴史小説は二系統に分類できる、と考えられる。一つは「鳩摩羅什」(『新文芸』)に始まり、「将軍底頭」(『小説月報』)、「石秀」(『小説月報』)へと続く、心理分析によって歴史上の人物の深層にまで入り込んで心の葛藤を怪しい雰囲気の中で描き出した作品である。しかしこの三編の本質はフロイディズムによる精神分析的描写にあるのではなく、火葬の後鳩摩羅什の舌が焼け残るとか、首をなくした将軍が死なずに少女のもとに戻ったり、戦場に残された首が涙を流したり、ナイフで指を切って苦しむ娼婦の眉をひそめた苦痛の表情と流れる血の美しさに石秀の欲情が高まる、とか言った耽美的な描写にあるのでもない。どちらかと言えば有りえない出来事を、印象深く描き出し、そこに一定のリアリティを持たせるところにある。

もう一系統の歴史小説、例えば「阿襤公主」、「李師師」は心理的葛藤の描写はあるけれども、第一系統の作品のような超現実的かつ耽美的な描写を欠いている。施蟄存の小説の流れのなかでは、『善女人行品』の女性を描いた作品群につながっていくものである。「阿襤公主」は耽美的描写を欠いているけれども、本質的には第一系統の作品と共通する点をもっている。それは物語性というか、ストーリーのドラマティックな展開である。その意味では「李師師」は、第一系統の作品とは本質的に様相を異にする。

施蟄存の歴史小説というとき、様々な論者が対象としているのは大抵第一系統の歴史小説であって、第二系統の「阿襤公主」「李師師」を積極的に高く評価しようという論文を私は目にしていない。「黄心大師」は第二系統の流れを汲みつつ第一系統の要素を包含する作品と言えよう。公娼の身分から出家して尼僧となった一女性の伝記というスタイルをとるこの小説は、余り成功作とは言えなかった「李師師」を手法的な面で補完するものだったのではないかと、推測される。

施蟄存はこの「黄心大師」を書くことによって、虚構としての小説世界と歴史的リアリティとの狭間で板挟みとなり、罪の意識を背負わされることになるのだが、本章ではこの「黄心大師」を糸口にして、施蟄存文学における虚構と現実の問題を考えてみることにする。

「黄心大師」執筆の経過とその後

一九四七（民国三十六）年、施蟄存は「一個永久的歉疚——対震華法師的懺悔」[1]という文章を書いている。この文章によれば、施蟄存は一九三六年二月に手に入れた明初臞仙刻本『白玉蟾集』[2]で、「贈豫章尼黄心大師」とされる詩詞[3]をそれぞれ一編読んで興味をもち、三月十日から十一日まで丸二日かけて宋人詞話に近い文体で「黄心大師」を書き、たまたま原稿依頼のあった朱光潜編集の『文学雑誌』に寄稿し、その第二期に掲載された。その文体は半分文言半分白話の「実験的試み（嘗試）」であったが、朱光潜は編集後記で誇張して褒めたという[4]。

この「黄心大師」について、施蟄存はこのように述べている。

この小説のストーリーは百パーセント虚構である。私は作品の中で、ある蔵書家のところで目にした無名氏の『比丘尼伝』十二巻の明初の写本の残帙と明人小説『洪都雅致』の二冊に触れ、この二冊から黄心尼に関する記載を数段引用しているが、それは全くの偽造であり、莪相の詩や梅晴の古文尚書のようなものである。その一切は単に小説を書くためにやったことで、小説から歴史の真実を捜すものなどいなかったからである。(5)

ところが小説発表後十年近く経った一九四六年になって、施蟄存は震華和尚という見知らぬ読者から一通の手紙を受け取る。震華和尚は『続比丘尼伝』を執筆中なのだが、参照したい書物が未見のままなので、九年も出版が延びている。だから「黄心大師」に引用されている『比丘尼伝』と『洪都雅致』のコピーが手に入るよう取り計らってほしい、という内容であった。

『比丘尼伝』も『洪都雅致』も、施蟄存の言によれば「百パーセント虚構」であり、「全くの偽造」なのであるから、当然見せることはできない。しかし真相を告げて和尚をがっかりさせるのも気がひけるなどということを考えているうちに、『続比丘尼伝』(6)が出版されてしまった。その第二巻に「南昌妙住庵尼黄心伝」というのがあって、それが完全に施蟄存の「黄心大師」によっていたのである。しかも事の真相を震華和尚に知らせることも出来ないでいるうちに、施蟄存は和尚の訃報に接し、「永遠の悔恨を背負うことになり、心の鬱屈を解消する手だてもない」と感ずることになった。

この事件がその後施蟄存が小説の筆を折ったこととどのように関わっているのか、については今後検討して行かねばならないが、施蟄存文学を考える上で、重要な意味をもつ事件として記憶にとどめ、終章で再びとりあげる。

「黄心大師」という小説

さて「黄心大師」というのは、どのような歴史小説なのであろうか？

全体は二つの部分から構成されている。

第一の部分は、一人称の語り手によって、南昌城外十里のところ、官道沿いの楡の森の奥深くにある尼たちの住む庵とそこで発見された巨大な銅の釣り鐘、そして『瓊琯白玉蟾集』[7]、さらに無名氏の『比丘尼伝』十二巻明初抄本残帙と明人の小説『洪都雅致』がある蔵書家の家で発見された、ということが語られる。

第二の部分は、第一の部分の経緯に基づいて語り手が再構成した黄心大師の生涯の物語である。

第一の部分が形式的には第二の部分へと話を進める導入部分になっているのは、小説でよく用いられるもので、一見何の変哲もない構成のように見える。しかしそれにしては第一の部分はやや長すぎる。『文学雑誌』のページ数で「黄心大師」全体は二十七頁であるのに対して、第一部分は七頁つまり作品全体の四分の一を裂いているのである。

本来、「黄心大師」という作品名をつけたことからもわかるように、施蟄存は黄心大師という尼僧の物語を書こうとしたのである。その動機は葛長庚（白玉蟾）の詩と詞を各一編読んだことによって想像をたくましくしたのであった。公娼の身から出家して「大師」と呼ばれるほどの尼僧となり、葛長庚のような道教の教祖的人物から詩詞を贈られるまでになった女性にたいする関心がこの小説を書かせたのだ。だからこの小説の重心は第二部分になければならない。

しかるに第一部分の比重が重い、このアンバランスは何を意味するのだろうか。

この問題についての考察は後に回すとして、とりあえず作品の全体像をつかんでみることにしよう。煩雑をさけるため、作品を区切り、『文学雑誌』におけるページ数と行数を示して、その間の要点を示す形をとる。

第一部分（五十三頁～五十九頁九行目）

1．1（五十三頁～五十四頁八行目）

南昌城外十里の地点にある「庵」のこと。語り手「我」。

1．2（五十四頁九行目～五十八頁四行目）

十数年前＝民国十二三年頃の回想。ある若い女性と「庵」を訪問。土に埋まった朽ちた「鐘」を発見、その鐘に刻まれた文字「比□尼黄心□願……」を「比丘尼黄心発願謹造」と解読。尼の一人から、この鐘にまつわる伝説（鋳造の際八度失敗し、九度目に庵の祖師が自ら鉱炉にとびこんで、やっと成功した）を聞かされる。

1．3（五十八頁五行目～十行目）

伝説についての考察。剣を鋳る場合も、鏡を造る場合も、職人が命を犠牲にしたものには不思議な力が備わると記載した古書のこと。

1．4（五十八頁十一行目―五十九頁九行目）

黄心大師に関する文献の入手。『瓊琯白玉蟾集』、無名氏著『比丘尼伝』十二巻、明人小説『洪都雅致』二冊。

第二部分（五十九頁十行目～七十九頁四行目）

2．1（五十九頁十行目～六十三頁十三行目）

黄心大師の生い立ち。幼名瑙兒、南宋孝宗淳熙十二年＝一一八五年生。父は不遇の読書人、母貞淑な妻。瑙兒は両親の晩年に生まれた一粒種。母の妊娠時の異常な音楽への関心。瑙兒の音楽の才能、四書五経の学問、女としてのたしなみ（裁縫、刺繍など）。十三才で父を亡くす。

2．2（六十三頁十四行目～六十五頁八行目）

16才で、性格の粗暴な茶商季（李とも）の後妻となる。愛情を示さず、冷ややかに仕える。母も同居。

2．3（六十五頁九行目～六十九頁一行目）

二年後、母の死。その五ヶ月後、夫の季が投獄。瑙兒、裁判の為南昌府に呼び出され、知府に見初められる。夫は流刑が確定、彼女は知府の妾となる。知府に愛情はないが、屋敷の楽器に楽しみを見いだす。誰にも笑顔を見せない彼女は悩娘と呼ばれる。後、季は冤罪で、流刑は知府が瑙娘を奪うための為の計略と判明。

2．4（六十九頁二行目～七十一頁八行目）

三年がたち、金兵来襲。朝廷の派遣した監査役によって、南昌知府の腐敗と悪事が暴かれ、知府は死刑、妻と妾たちは公娼として売られる。前夫の季が戻り、公娼となった瑙娘を身請けしようとするが、彼女は拒否。三ヶ月で南昌に名の知れた歌姫となる。彼女は芸を売るが媚びは売らない。

2．5（七十一頁九行目～七十四頁十二行目）

十年後、現世にこだわる理由のないことを悟り、自ら一千貫を払って花柳界の籍を離脱、嘉定十二年四月八日、城外の妙住庵で剃髪し尼となる。紫清真人白玉蟾、南昌を訪れ詩詞を贈る。『比丘尼伝』『洪都雅致』の引用により出家の動機及び出家にまつわる不思議な出来事（老師太が瑙娘の出家を予言し、一番弟子の席を空けて待っていたこと）について説明。黄心大師となってからの名声。

2．6（七十四頁十三行目～七十九頁四行目）

黄心大師の身に起こる奇跡の数々。最後の奇跡＝鐘の鋳造。鋳造費用提供者の出現を予言。子授け祈願の夫人。八度の失敗。九度目に夫人は病気で代わりに夫がやってくる。それは実はかつての黄心の夫、茶商の季。黄心はかつて季の気持ちを受け入れなかった自分を恥じ、鋳型に注がれる熔けた銅の中に跳び込む。鐘は見事に完成する。

以上が「黄心大師」のあらましである。一見、第一部分がなくても、第二部分だけで、物語が成立しそうな気がする。それくらい黄心大師の物語はドラマティックに出来上がっている。しかしいきなり瑙兒の物語を始めるのにはやはり難点があると言わねばならない。それは作品が読者を惹きつける魅力の問題なのである。いきなり瑙兒は何時何処で誰の子供として生まれたという事柄を突きつけられても、読者は戸惑ってしまう。自分が読もうとしているのが、どのような人物の物語なのか、あらかじめわかっていなければ読者は興味をもてまい。そのすべてを知っていなくても何か興味をひかれる糸口がなければならない。そのためにはやはり第一部分は必要なのだ。

第一部分に与えられた役割は、読者に対して「黄心大師」という人物を謎めいた神秘的な人物として印象づけることにある。つまり第一部分は推理小説における殺人事件の発生と犯人探しの手がかりを提供する部分と同じ役割をもたされているわけである。「事件」を「鐘の鋳造」に、「犯人」を「黄心大師」にたとえることができる。この小説が通常の推理小説とやや違うのは、最初から「黄心大師」という犯人の名前がわかっているが、その素性と殺人の動機がわからない、という点である。いずれにせよ、読者はその動機（鐘の鋳造の由来と黄心大師の人物像）を明らかにしたい、という欲求を第一部分を読むことによって植え付けられる。かくして、読者は何のとまどいもなく第二部分に入っていけるのだ。

第二部分は従って、第一部分で残された謎の検証を含めて第一部分で述べられたことを再述するものにほかならない。読者にとってそれは自分が第一部分によって喚起された興味ないし関心の中身を復習することなのである。そして第二部分を読むことによって、確実に読者の理解は深まるわけである。

しかしそれだけでは第一部分が長い理由を説明したことにはならない。上の要約では完全に分離しているかに見える第一部分と第二部分が、一人称の「我」によって叙述される形式をとることによって、「語り」として連続性を与えられ、一つの大きな「語りの場」の中に設定されていること、第二部分の導入部分としての従属的役割しか与えられていないかに見える第一部分が、実はその『語りの場』の中では、完結した一つの虚構世界を構成しており、むしろ第二部分の方が、その虚構世界の中に組み込まれ、入れ子も同然の状態になっていることを指摘しなければならない。

すなわち第一部分で読者の興味が喚起されるための装置がもう一つ設定されているのだ。それは語り手「我」が「庵」を一緒に訪問した「若い女性」の存在である。ここで読者は、この「我」と独身の若い「若い女性」の男女関係に興味をひかれるのである。読者は暗黙のうちに、物語の後半で二人の「関係」が明らかにされるかもしれないという期待を抱くのだ。もちろんその期待は裏切られるのだが。

結局、黄心大師の物語は、それを語る「我」によって客体化され、その「我」が「語り手」として客体化されることによって、この「黄心大師」という小説になっている、ということなのだ。

その構造は、魯迅の「狂人日記」に似ている。

第一の部分と第二の部分の関係は、一見、魯迅の「狂人日記」における文言の序文と日記部分の関係とは違って見える。「狂人日記」という虚構世界において、序文は作者または語り手の声、本文は「狂人」の声として聞かなければならない（つまり語り手が二人設定されている）のだが、「黄心大師」では第一部分も第二部分も語り手または作者の声として聞けばよいのだ（つまり語り手は一人）。しかし「狂人」の声も「作者または語り手」の声も実は魯迅が書いたものであり、「黄心大師」の第一部分も第二部分も施蟄存が書いたものなのである。つまり「黄心大師」における「我」は、施蟄存自身のように見せかけて小説の中に虚構された「語り手」という登場人物に他ならない。

第一部分の比重の重さの秘密はここにある。それは作品全体を物語から小説に変換するための装置だったのであり、この変換によって作品がリアリティを獲得するのである。朱光潜が「物語を聞いている」ように感じたのは、作品のこういった構造に由来していると思われる(8)。

変換のメカニズム

施蟄存が「黄心大師」という歴史小説を書くときに用いた文献的資料は、『瓊琯白玉蟾集』だけである。しかし語り手は、実在するこの書物の他に、知り合いの蔵書の中から発見されたものとして『比丘尼伝』と明人の小説『洪都雅致』などを語りの根拠としてあげている。しかし、それらは施蟄存が「百パーセント偽造」したものであった。また南昌城外の庵で見たという鐘及びその上に刻まれた「比□尼黄心□願……」を挙げ、さらにそれを「比丘尼黄心発願謹造」と解読して見せる。この庵と鐘の実在性については、施蟄存は言及していないが、おそらく施蟄存の虚構であろう。

この点に関して、私は南昌における古鐘の調査を行ない、実物は見ることができなかったが、宋代から伝わるという古鐘の存在を確認することができた。同時に南昌の町の至るところに「釣鐘」が存在すること、つまり南昌が「釣鐘の町」であるという実態が確認できた。騰王閣などの南昌の有名な観光地では必ず「釣鐘」を目にするほか、市内のデパートの門前や道路脇にまで釣鐘のレプリカが溢れていた。南昌がいつからこのような観光戦略を打ち出したかは詳らかでないが、南昌は「黄心大師」の舞台として、うってつけの町であった。施蟄存は当然そのことを意識したに相違ない。

さて小説の語り手は第二部分で黄心大師の物語を進めるに際し、第一部分であげた文献を具体的に「引用」している。試みに挙げてみよう。

一、黄心大師の結婚から公娼に身を落とすまで（『文学雑誌』六十六頁）

■有的小説「遇人不淑，流而爲伎。」（ある小説「人を遇するに淑ならず、流れて伎となる。」）

■有的書「母死貧甚，鬻身爲妾，主人得罪，惱娘并被藉没，發爲官奴。」（ある書物「母死して貧しきこと甚し、身を売って妾となる。主人が罪を得て、惱娘は連座し財産没収、流刑のうえ官奴となった。」）

■比丘尼伝「嫁茶商李某爲妻，李因事得罪，遂爲南昌知府某所得，越一年，某亦陷于法，師遂輾轉爲妓。」（比丘尼伝「茶商李某に嫁し妻となる。李がある事件で罪に問われ、南昌知府の得るところとなった。一年を越え、李某が法の罠に落ち、師は遂に転々として妓となった。」）

二、黄心大師の出家に関すること（同七十二頁）

□白玉蟾の詩「如今無用繡香囊，已入空王選佛場，生鐵脊梁三事衲，冷灰心緒一爐香：庭前竹長眞如翠，檻外花開般若香：萬事到頭都是夢，天傾三峡洗高唐。」（「今は刺繍の香袋も無用だ。既に仏門に入り、仏に仕える所も選んだ。鉄の背骨を生じ、三たび僧衣をまとう。心を冷たくする一炉の香。庭先の竹が伸びて緑色をし、檻の外は花が咲き知恵が香る。全てのできごとは最後は夢となり、天は三峡に傾いて、高唐の地を洗う。」）

□白玉蟾の詞「荳蔻丁香，待則甚如今休也，爭知道本來面目，風光洒洒。底事到頭鸞鳳侶，不如弹脱鴛鴦社：好説與幾箇正迷人，休嗟訝。紗窗外，梅花下，酒醒也，教人怕，把翠雲剪却，緇衣披挂，柳翠已參彌勒了，趙州要勘臺山話，想而今心似白芙蕖，無人畫。」（「ビャクヅクやチョウジの花を、待ちくたびれてどうでもよくなった、どうして本当の姿を知りえよう、風光は灑灑たるものだと、如何なることが美しき伴侶を驚かせ、そそくさと夫婦の屋敷を出て行くしかなかったのか、今も迷える人々にはこういうとよい、おどろくことはない、紗の窓の外、梅の花の下、酒がさめると、恐ろしくなる、翠の雲を切り取り、黒い衣をまとえば、柳の翠もすでに弥勒菩薩にお参りだ、趙州（河北）は五台山の言葉を解さねばならぬ、思えば今こころは真っ白な蓮の花のようだが、それを誰も絵にかくことはない。」）

■比丘尼伝「忽得定慧，遂絶羅綺，買牒爲尼，皈歸佛法。」（比丘尼伝「忽ち定慧（さとり）を得、遂に羅綺（絹の衣装）を絶つ。牒を買いて尼となり、仏法に帰依せり。」）

■洪都雅致「一日，有老尼容止甚醜陋，故犯惱娘之輿。婢從訶之不去，惱娘遂搴帷審視，若故相識者。尼見惱娘，驀然喝曰，爾不憶如來座下失聲一笑時耶？惱娘聞言，頓悟前生，方欲酬答，尼已不見。惱娘既歸，遂屏謝遊冶，即日出家。」（洪都雅致「ある日、醜い老尼が悩娘の輿を故意に止めた。下女が追い払うが去らないので、悩娘は幔幕を巻きあげて伺ったが、知っている者のような気がした。尼は悩娘に喝を入れて、汝は如来が腰かけて一度失笑されたのを忘れたか、と言った。悩娘はそれを聞き、突然前生での因縁を悟り、返事をしようとすると、尼はもういなかった。」）

三、黄心大師の奇跡（同七十九頁）

■比丘尼伝「師捨身入爐，魔孽遂敗，始得成冶」（比丘尼伝「師が身を捨て炉に跳び込むと、魔性は遂に敗れ、初めて鋳造が成った。」）

■印は施蟄存が自分で創作したもの（虚構の書物からの引用）、□は実在の書物からの引用である。これらの引用はすべて小説の中に登場する順序で並べてある。

唯一の歴史的実在資料である白玉蟾の詩詞は、詞の「贈豫章尼黄心大師嘗爲官妓」の注記によって、黄心大師が出家前公娼であったことがわかるほかには、内容面では主に黄心大師の出家の前後のことを推測する資料になるだけで、その出生から茶商との婚姻、公娼へ転落した事情、出家時における奇跡、鐘の鋳造、魔性などについては触れていない。そういった事跡は施蟄存の全くの創作なのである。

施蟄存はその創作部分のリアリティを読者に印象づけるために、「比丘尼伝」「洪都雅致」その他の文献を創作し、さらに引用文まで創作して、実在の文献から引用したかのように語り手に語らせたのである。

施蟄存はリアリティを強めるテクニックをいろいろ使っている。たとえば茶商の苗字を「季」としておいて、別の文献（架空）では「李」となっているという説明を加え、学問的考証をしたような設定にしている。また黄心大師の生年と出家の年月日を、南宋孝宗淳熙十二年及び嘉定十二年四月八日とはっきり記しているのもそうである。そのように年月日を確定した根拠を「語り手」は述べないが、作品の読者は普通それを疑ってみることをしない。かくて作品はリアリティを装っていく。

その結果として『続比丘尼伝』の著者は見事に「比丘尼伝」と「洪都雅致」が実在する本だと信じたのだった。

「李師師」と「黄心大師」

それではなぜ施蟄存はこのような手法を試みたのだろうか。

それは先に触れた問題と関わっている。私はすでに[9]、張平という人物が、一九三一年に施蟄存の歴史小説と茅盾の歴史小説を比較し、茅盾の方に軍配をあげる評論を書いていたことに触れた。張平が施蟄存作品を誤解していることを指摘するためであった。

しかし施蟄存はその張平の批判をまともに受けとめたようである。というのは、彼はこの年「李師師」という小説を発表しているが[10]、それは茅盾的手法をまねて書かれた短篇歴史小説だったからである。

施蟄存は「李師師」を、茅盾の「豹子頭林沖」や「石碣」と同様に『水滸伝』に登場する人物を題材に、歴史の断面を切り取って見せるという短編小説の方法で書こうとしたのである。

私にはこの作品があまり成功しているとは思えない。妓女李師師の詞人周邦彦と徽宗皇帝との間で揺れ動く心理を描いた施蟄存の「李師師」は、張平が評価した茅盾の「豹子頭林沖」や「石碣」のような風刺性を獲得していないからだ。作品に諷刺性をもたせないならば、茅盾的な手法を使う積極的な意味はない。それに李師師という妓女という題材が、この作品では全く生かされていない、という不満が残ってしまうのだ。この作品に描かれたのは、自分のところに通ってくる二人の男性の間で揺れ動く李師師の平凡な女性心理で、確かにそれを巧みに描いてはいるが、せっかく李師師を描くなら、「鳩摩羅什」などのように、もっとドラマチックに展開させることが出来たのではないかと思われても仕方がない側面があるのである。

この点についての考察は次章に譲るが、「黄心大師」は伝奇物語としての第二部分をリアリスティックな第一部分の語りで包み込むことによって、「李師師」の欠点を克服し、いわば物語と小説の統合を実現した作品なのであった。

一九三三年に書かれた「我的創作生活之歴程[11]」は「鳩摩羅什」以下「石秀」「将軍底頭」「阿襤公主」に触れているが、「李師師」には言及がない。その点からみると、施蟄存は「李師師」を重視していないようである。しかし一九三一年に『李師師』という短編集を出しているにもかかわらず、彼は一九三三年に出した短編集『梅雨之夕』に再び「李師師」を収録している。[12] しかも奇妙なことに収録作品の中では「李師師」だけが歴史小説の部類に属する作品で、他は現代都市を舞台にした心理小説なのである。「李師師」だけが浮いているのだ。何やら「李師師」に愛着があって特別扱いしているようにも見える。

あまり評価されなかったけれど、この「李師師」は施蟄存にとって重要な意味をもつ実験的試みだった。初期の「鳩摩羅什」等のようにフロイトを用いず、猟奇的描写もなく、ただ『新元史・烈女伝・阿儵公主』を敷衍した歴史物語「阿襤公主」から、茅盾的リアリズムの短編小説である「李師師」を経て、歴史的考証そのものを虚構する、より虚構度の高い作品「黄心大師」へとエスカレートしていく転換点に「李師師」は位置しており、「黄心大師」へと行きつくために、どうしても通過せねばならない道程上に、この作品は存在している。

付記：上海華東師範大学日語系の金晶は大阪大学言語文化研究科言語社会専攻に二〇一〇年に提出した博士論文のなかで、施蟄存の「黄心大師」執筆に際して、谷崎潤一郎の『春琴抄』の影響を受けていることを論じているが、谷崎も春琴の物語にリアリティを持たせるために、架空の史料を登場させている、という。施蟄存が「詞話」の文体を創り出すのに、谷崎潤一郎を模倣していたとすれば、それは非常に興味深い指摘であると思う。なお、金晶の論文は二〇一三年に『谷崎潤一郎文学在民国時期的接受状況研究』のタイトルで南開大学出版社から日本語のまま刊行されている。

注

（1）　原載未詳。『施蟄存散文選集』（一九八六年八月　百花文芸出版社）に収録されたものの末尾に「三十六年十二月二十九日」の日付がある。

（2）白玉蟾は、宋代の詞人葛長庚（一一九四―一二二九）の別名。十二才のとき、童子科にうかるほど聡明な子供だったが、その後任侠から殺人を犯し、武夷の山に入って修道に励んだ。宋の寧宗のとき、紫清明道真人に封じられ、世に「紫清先生」と称せられた。道教南宗五祖の一人とされる。その詞が約百四十編『全宋詞』に収められている。

（3）『全宋詞』では「満江紅」の六番目に「贈豫章尼黄心大師嘗爲官妓」という注記がある。ただ、七句目は施蟄存の引用と一文字だけ違っている。施蟄存が「黄心大師」の中に引用した七句目は「底事到頭鸞鳳侶」だが、『全宋詞』では「底事到頭鸞鳳侶」となっている。

（4）『文学雑誌』第一巻第二期「編集後記」はこう述べている。「施蟄存先生の「黄心大師」は、小説が歩むべくしてまだ人々に見落とされている道、それも一種の新しい境地に導いてくれるもの、すなわち中国の説部の道があることを、力強く証明してくれた。施先生の作風にはもちろん西洋的小説の良さもあるけれども、特徴は中国の旧小説の長所を吸収できていることにある。その文章は彼自身が言うように、「文白交施（文語と白話が入り交じっている）」であるが、見たところ流行語よりも軽快で生き生きしている。多くの人の小説を読むと、我々は作者が文章を書いているという印象を受ける。しかし「黄心大師」を読むと、我々は「物語を聞いている」ような感じがするのだ。しかも自分が「物語を聞く」ときのような雰囲気の中に身を置いていると感じる。それは日常的で、身近で、まるで友人と二人で夜暖炉を囲んでぼそぼそと語り合うような感じなのだ。」

（5）「一個永久的歉疚――対震華法師的懺悔」。注11参照。「莪相」はスコットランドの伝説の吟遊詩人 Occian（オシアン）のこと。「梅晴」は梅賾の誤植であろう。梅賾（または梅頤）は東晋汝南（現在の湖北省武昌）の人。『古文尚書』『尚書孔子伝』を上梓したが、宋代以後朱熹をはじめ様々な学者によって疑問と批判が出され、清代になって閻若璩、恵棟らによって、『古文尚書』が偽書であることが証明された。

（6）未見。

（7）施蟄存が用いた版本は不明。

（8）前注（4）参照

（9）本書の序章参照。

（10）小説集『李師師』（上海良友図書印刷公司、一九三一年十一月）所収。

（11）『創作的経験』天馬書店　一九三三年六月初版、一九三五年五月第四版（上海書店一九八二年影印本は一九三五年五月第四版による）所収

（『砂の上の足跡』施蟄存著、拙訳、大阪外国語大学学術研究叢書22　一九九九年）

（12）新中国書局。収録作品は「梅雨之夕」「在巴黎大戲院」「魔道」「李師師」「旅舍」「宵行」「薄暮的舞女」「夜叉」「四喜子的生意」「凶宅」の十編。

第三章　歴史短篇小説「李師師」

一九二〇年代末から一九三〇年代にかけて、施蟄存は「鳩摩羅什」「将軍底頭」「石秀」「阿襤公主」「李師師」「黄心大師」といった歴史小説ないし時代小説を書いた。私はこれらを二つの系統に分けて論じ、超現実的、耽美的、浪漫主義的な「鳩摩羅什」「将軍底頭」「石秀」とリアリスティックな「李師師」という二つの系統の統合された作品として「黄心大師」を位置づけた。作品の数から言っても、作品の衝撃性から言っても、「鳩摩羅什」以下の計4編が当然施蟄存の歴史小説の主流と考えられるが、「李師師」に関しては茅盾流の手法を試みようとして失敗した作品であると論じた。施蟄存の他の歴史小説は、超現実的な、耽美的な描写が物語の展開を支えることによって歴史的事件や歴史人物そのものが魅力を発する作品であるが、彼と同時代の魯迅や郭沫若や茅盾の歴史小説は、歴史そのものよりも、それとの類似性から連想される現代社会にたいする諷刺に重点をおくものであり、いわば施蟄存の歴史小説は、当時の歴史小説の趨勢から言えば異端なのであった。当然諷刺を重視する評論家から批判をうけることになった施蟄存が、ちょうど比較された茅盾の作品の手法をとりいれて書いたのが「李師師」である。しかし施蟄存は茅盾の歴史小説「豹子頭林冲」「石碣」の諷刺的側面と歴史の一断面を切り取ってみせる近代短編小説的側面という二つの要素のうち、後者を自分の作品にとりいれたが、作品に諷刺性をもたせることがなかったので、「李師師」は「失敗作」に終わって、茅盾作品のような評価を得ることができなかった、というのが私の推定であった(1)。

「李師師」が本当に失敗作であるのかどうかについては、まだまだ議論の余地があるように思う。施蟄存がどのようにして「李師師」を書いたのか、という過程を明らかにしなければならないし、なぜ「李師師」を書いたのか、そしてその結果「李師師」はどのような作品になったのか、を明らかにしなければ、この作品に対する最終的な評価を下すことはできない。

本章はそのための一つの試みである。

1．李師師に触れた文献

李師師は歴史上の実在人物である。「辞海」（四十七年版）は、「宋汴城の妓女。文士秦観、周邦彦らは多く詞を作り、互いに贈答しあった。徽宗もしばしばその家を訪れ、後明妃として冊封。靖康の変ののち、身分を廃され庶民にもどって、湖北、湖南の間に流落。逸事・伝聞は『貴耳集』『浩然斎雑談』『青泥蓮花記』『汴都平康記』『墨庄漫録』『甕天脞語』『宣和遺事』などの書物に散見される。ただ作者不明の小説『李師師外伝』では、徽宗退位ののち彼女は乞うて女道士となったが、金が汴京を攻め落としたとき、金軍の帥闥嬾が李師師を索《もと》めること急であったので、張邦昌がこれを捕らえて献上し、そこで李師師は黄金の簪を折り、呑みこんで自殺したとする。これは各書物の述べるところと多く符合しない」と紹介している[2]。

すなわち李師師は歴史的実在人物であるが、また実態のはっきりしない伝説的人物でもある。正史にはどうやら記述がないらしいが、しかし北宋の都汴京に名の知られた妓女の身分から、北宋の末に皇帝の妃にまでなったことが、様々な書物に記されているのである。数奇な運命をたどった一代の美女の伝説は、南宋の時代に早くも小説風の物語にまとめられた。上で『辞海』が紹介した文献のうち、私が目にすることのできたものは、『宣和遺事』と『李師師外伝』および『貴耳集』の3編における李師師の記述だけである。

『宣和遺事』における李師師

『宣和遺事』は、『大宋宣和遺事』ともいい、後の明代の『水滸伝』の雛形のひとつとされる講史話本である。宋代にはすでにテクストとして成立していたが、現在のテクストは後人が増訂したものであると考えられている。二巻本と四巻本があるが、内容は同じであるという。

私の見たものは台湾の世界書局のもので、奥付に民国七〇（一九八一）年七月六版とある。目録は以下のとおり。

目　録

察するに四巻本に基づくテクストであろう。このうち李師師が登場してくるのは「亨集」のみである。

「元集」は冒頭で歴史をふりかえり、治と乱とを陽と陰にたとえ、その陰陽はひとえに皇帝の心の正邪ひとつにかかっている、という歴史観を述べる。そして尭舜の時代から説き起こして、贅沢や女色に溺れて国を滅ぼした歴代の王や皇帝を批判し、宋代においては、神宗は王安石の変法によって世を乱し、徽宗が佞臣蔡京、高俅、楊戩を重用して贅沢三昧に明け暮れ、道士林霊素を信じ、金の勃興、方臘の乱、宋江と配下三十六名の割拠に際しても、忠臣の諫言に耳を傾けない様子に言及する。

「元集」の末尾から「亨集」のはじめにかけての「宋江とその三十六人」のエピソードは、明代に成立する長編小説『水滸伝』の雛形のひとつと先に述べたが、そのエピソードが宋江らの帰順、方臘征伐、節度使任命で一段落したあと、張夢熊、張商英らの諫言を退けた徽宗皇帝が、楊戩の勧めで、庶民に身をやつして市井に出て、美女に出会うところから李師師のエピソードは始まる。

徽宗は美女が有名な妓女李師師であることを知り、殿試秀才趙八郎と偽って、李師師の家に行き酒を飲んでいたが、相手の話を怪しんだ李師師は、母親（李媽媽）に今の警察にあたる役目の孫栄と竇監を呼びにやらせる。彼らと手下が周りを囲んだところ、その上司にあたる高俅が出て、彼らを叱り付け、李師師にも趙八郎が徽宗皇帝であることがわかる。李師師の美貌に免じて罪を許した徽宗を李師師がもてなし同衾する。徽宗は李師師が気に入って今後も通ってくる証に皇帝の着物を残していく。

夫の賈奕は妻の客が皇帝と知り、また李師師と一緒にいるところを高俅に見咎められて、李媽媽が師師の兄だといって取り繕ったものの、李師師の家から足が遠のく。次に訪れた徽宗は、賈奕が李師師に書き残した詞を手に入れ、その文章に皇帝を諷刺する意味のあることを読み取る。

李師師に思いの残る賈奕は、陳州通判宋邦傑とあったときに、皇帝と李師師のことをもらす。宋邦傑は親戚の曹輔が諫言役をしているから諫言してもらうと言った。曹輔の上奏書は果たして皇帝の目にはいり、張天覚の諫言もあって、皇帝は李師師のもとに通えない。しかし李師師への思いはつのり、その意を伝えに行った楊戩は、賈奕から李師師に宛てた書き付けを見つける。そこには、家臣の諫言を聞いて皇帝が来られなくなったのは自分と李師師の縁が深かったということだ、今晩会いに行きたい、というラブレターだった。

徽宗は賈奕を兄と偽った李師師母娘を処罰せず、賈奕を皇帝を侮辱した罪で死刑にしようとする。しかし張天覚の諫言を聴きいれ、賈奕を地方役人に左遷するにとどめる。その後宣和六年に徽宗は李師師を入内させ、冊封して李明妃とする。

以上が『宣和遺事』における徽宗皇帝と李師師の物語のあらましである。このテクストの特徴は、李師師に賈奕という夫がいたとしていること、最後に徽宗が李師師を妃としていることなどで、これらは他のテクストに見られないエピソードである。また李媽媽と李師師を実の母娘のように書いていること、徽宗が最初に李師師を訪れるとき殿試秀才趙八郎と名乗っていることなどは、他のテクストと異なっている。興味深いのは、賈奕が詞を書くインテリであること、李師師との関係を知られて左遷されることなど、その逸話は、後述する『貴耳集』に登場する詞人周邦言のエピソードと酷似している点である。

『李師師外伝』における李師師

もう一つの資料『李師師外伝』について、『中国古代文学名著辞典』(3)は次のように説明している。

伝奇小説。宋代佚名撰。張端義『貴耳集』および『宣和遺事』はいずれも北宋の名妓李師師の挿話を載せ、『水滸伝』もこれらの記載や伝説にもとづいて李師師の故事を叙述している。『香艶叢書』第二集、魯迅『唐宋伝奇集』巻八は、いずれも『李師師外伝』一巻を収め、民国本及び一九五七年本の『旧小説』丁集にも『李師師外伝』がある。咸豊本『琳琅秘室叢書』第四集は、清の胡珽の校譌による『李師師外伝』一巻、附録一巻、附校譌一巻を収める。光緒本『琳琅秘室叢書』第四集では、清董金鑑の続校一巻が増えている。

この説明はややわかりにくい。明代の『水滸伝』が宋代の『貴耳集』や『宣和遺事』にもとづいているということは判るが、では『水滸伝』と南宋の『李師師外伝』の影響関係はどうなのであろうか。ここにはあるとも、ないとも書かれていないのである。この問題は、後で検討することとして、ここはまず『李師師外伝』の内容を見ておくことにしよう(4)。

李師師は汴京の染め物職人王寅の娘で、母は師師を産んでまもなく没した。幼いとき老僧が「この娘は本物の仏弟子なり」と言ったところから師師と名づけられた。四歳のとき父が罪に問われて獄死、遊廓の出の李姥に引き取られた李師師は成長してトップクラスの妓女となる。一方徽宗皇帝は即位してから遊興にあけくれていたが、行幸した寺の男張迪から李姥の娘李師師のことを知った。商人の趙乙と名乗り、李姥に金を握らせて李師師のもとへ手引きさせるが、酒食を出されたり、入浴を求められたり、さまざまに焦らさせたあげく、質素な服を来た李師師がぶっきらぼうに出迎え、「平沙落雁」の曲を聞かされただけで、夜が明けてしまう。趙乙が帰ったあと李姥は李師師に「気前のいい客なのにどうしてつれなくするのか」と聞くと、李師師は「たかが商人でしょ。私にどうしろというの」と怒った。ところが都の人々の間で皇帝様が李師師のところに通っていると噂がたち、趙乙が徽宗皇帝と知った李姥が一族皆殺しになると恐れていると、李師師は皇帝陛下は決して私を殺すに忍びないに違いないから、心配ないと言う。果たして皇帝は李師師に宝物の楽器を賜り、彼女のもとに通いはじめた。皇后の鄭氏に下賤な妓女のもとに通うことをたしなめられて、しばらく中断したが、ほどなく再び李師師のもとに通うようになる。そのたびに高価な宝物を李師師や李姥に賜るのだった。韋妃にどうして李師師がそんなに気に入ったのか、ときかれ、同じ服をきせて宮中の女たちのなかに紛れ込ませても彼女だけは区別がつく、と答える。徽宗皇帝が退位して道君教主と名乗って以後、李師師は道君の許可を得て女道士になった。都は金の軍隊に占領され、主帥闥懶は、金の王から生け捕りにせよとの意を受けて、李師師を捜し求めた。張邦昌が探し出して闥懶に献上すると、李師師は張邦昌の裏切りを責め、金の簪を抜いて喉をつくが、死にきれず、簪を折って呑み込んで死ぬ。李師師の最後の様子を聞いた道君教主は思わず涙を流した。

以上、魯迅編『唐宋伝奇集』に収められた『李師師外伝』の内容を要約した。このテクストの特徴は何といっても李師師という人物の伝記であるから、李師師に叙述の中心があり、その生い立ちから死に至るまでが述べられていることである。従って父親の職業や素性、李媽媽が育ての親であること、徽宗の退位後女道士となったこと、張邦昌によって金の闥懶に献上され、金の簪を呑んで死んだことなど、他のテクストにないエピソードが多く見られる。『宣和遺事』と違っているのは、徽宗が最初に李師師を訪ねたとき、「殿試秀才趙乙」ではなく、商人の趙乙と名乗らせ、豪華な贈り物をさせている点である。

魯迅によれば、このテクストは『琳琅秘室叢書』から採ったものであり、その後ろの黄廷鑑の跋文には、『読書敏求記』に『李師師小伝』の存在と、張端義『貴耳集』に見える李師師にかんする記載二則、『宣和遺事』の内容と『外伝』との不一致などが述べられている(5)。魯迅は『貴耳集』の記載を採録しているが、これも上の『李師師外伝』と内容が違っている(6)。

張端義『貴耳集』における李師師

今、魯迅の記載する『貴耳集』の李師師に関する記述を要約すると、このようになる。

道君が李師師の家に行幸したところ、たまたま周邦彦が先に来ていたが、道君の到着を知り、ベッドの下に隠れた。道君は新しい橙の実を一つ持ってきて「江南からの初物だ」と言って、李師師に戯れ言をいった。邦彦はそれを悉く聴き、「少年遊」という詞にして、「並刀如水、呉塩勝雪、繊手破新橙」、後にまた「城上已三更、馬滑霜濃、不如休去、直是少人行」とものした。李師師がこれを歌ったので、道君が誰の作か問い、李師師が周邦彦の作であることを答えると、道君は大いに怒って、朝廷で蔡京に「開封府監税周邦彦なるものが、課税したものを記帳しておらぬときくが、なぜこの事件を報告せぬのか」と諭した。蔡京は都の長官を呼び報告させたところ、周邦彦の額だけは増えているとのこと。しかし御意は御意なので左遷することになった。一、二日して道君が李師師のもとへ行くと、不在であった。夜になってようやく帰った李師師は憔悴した様子。道君が怒ってどこに行っていたと問うと、「周邦彦が罪を得て国外追放になるというので送別に一献さしあげて参りました。陛下がこられるとは知らず万死に値します」と答えた。道君が「詞を書いたか」と問うと「『蘭陵王』の詞がございます」と言う。今の「柳陰直」のことである。道君が「一度歌ってみせよ」というので、李師師は「一献ささげ、陛下の長寿を祈って歌います」と言った。曲が終わると道君は大いに喜んで、周邦彦を再び召し抱え、大晟楽正に任じた。その後周邦彦は大晟楽楽府待制となった。邦彦は詞で名が通っており、当時の人々は皆「美成詞」と称えたが、周美成の文章にも見るものがあり、「汴都賦」を書いた。箋奏雑著のごときは皆傑作であるが、惜しむらくは詞によって他の文才が隠されている。当時李師師の家には二人の邦彦が出入りしていた。一人は周美成、もう一人は李士美で、いずれも道君の狎客（たいこもち）である。士美はそれによって宰相にまでなった。それにしても君臣が下賤の家で鉢あわせするようでは、国が危うく、治安の乱れるのは、推して知るべし、である。

このように、この文献では周邦彦の方に叙述の重点があり、いわば「詞話」のような体裁をとっていて、李師師はあくまで脇役である。だからこの文献が魯迅の言う「李師師小伝」と同じ内容かどうかについては、そうでない可能性の方が高い。

周邦彦と李師師の関係については他のテクストには見られないエピソードであるから、「辞海」はこのテクスト（似た内容のテクストがほかにあるかも知れないが）を根拠にしているのであろう。李師師の経歴、徽宗皇帝との出会い、などには触れていない。重要なのは、李師師次第で彼女のもとに出入りする役人が、皇帝に気に入られたり嫌われたりするという役回りで、これは李師師が皇帝とつながる一つのパイプラインであったことを示すエピソードである。後の『水滸伝』では、宋江らは燕青を介して李師師を利用し、皇帝に赦免状を書かせるのに成功するが、これも、李師師のそのような物語上の役割を前提とするエピソードに他ならない。

『水滸伝』における李師師

李師師が『水滸伝』に登場してくるのは、百八人の豪傑が梁山泊に勢揃いする第七十一回に続く七十二回以降、私の知る限り主に四場面である。(7)

最初は第七十二回、宋江と柴進が燕青の手引きで開封の都に潜入し、元宵の賑わいを見物しつつ茶店に入ったところ、そこから見える邸が皇帝の行幸で有名な李師師の家と知って、宋江が会いたいと言い出す。燕青が邸にはいり、達者な口で李媽媽をたぶらかして昔の知り合いの息子だと思わせ、今は山東の大金持の旦那の世話になっている、その旦那が李師師に会いたがっている、という話をする。金に目のない李媽媽はすぐに李師師を呼び、李師師もその旦那に茶をさし上げるので呼んでくるようにという。宋江、柴進、戴宗が燕青について李師師の邸に入ると、李師師は手ずから四人に茶を入れてくれるが、裏に徽宗皇帝が到着したとの下女の知らせがあり、四人は早々に退散する。

次はまさに十五日の元宵節、再度燕青に渡りをつけさせ、連れてきた李逵と戴宗に表で見張りをさせて、宋江、柴進、燕青の三人で李師師と酒を飲む。李師師が気のきいた話をすると柴進が答え、燕青は笑うだけ。宋江は酔いがまわって梁山泊流に腕まくりをする。柴進が宋江の不調法を詫びると、酒の席は楽しむことが大事、礼儀にこだわる必要はないと李師師が答える。女中が外で罵っている見知らぬ恐ろしい人がいるというので、宋江がその李逵と戴宗を呼び込んだ。李逵は宋江たちが美女と酒を飲んでいるのが気に入らぬ様子。宋江は李師師に李逵を紹介し、すぐれた武芸者で二、三百斤を担ぎ、三十人や五十人が相手なら一人で戦えると言うと、李師師は銀の大杯をもってこさせ、各人に三杯ずつ褒美の酒をふるまった。燕青は李逵と戴宗が何を言い出すか心配で、二人にもとのように門前に坐っていろと言いつける。

宋江は大杯で立て続けに飲み、李師師は低い声で蘇東坡の「大江西水」の詞を歌った。宋江は興がのって紙と筆をもとめ、李師師に向かって「才能のない者が胸中の鬱屈をのべたる腰折れ一首、美しいあなたにお聞かせもうしあげる」と言って楽府詞一首を書き留める。李師師に見せるも意味を解せず、宋江の説明を求めているところへ、女中が皇帝陛下の到着を告げる。お送りできませんがお許しくださいと出迎えにいく李師師と到着した道君を、暗いところに隠れて宋江たちは見守る。招安を願い出る絶好のチャンスと言う宋江に対し、今承諾しても後で気が変わるかも知れない、やめたほうがいいといさめる柴進。一方の李逵は、自分たちを門番に坐らせて美女と酒を飲んでいる宋江と柴進を見て、腹立ちがおさまらない。そこへ道君との約束がすれ違いになった楊太尉がやってきて、李逵を見るや「貴様何者だ。こんなところに陣取りやがって」と詰問する。李逵は返事もせずに椅子でなぐりかかり、戴宗が止めにはいるも、李逵は今度は書画を剥がして蝋燭で火をつける。これで大騒ぎとなり、宋江たちは城外に逃走した。

三度目は第八十一回、高太尉らとの三度の決戦に勝利した宋江たちは、燕青と戴宗を都に派遣した。燕青は李師師を訪ねて、自分や宋江らの身分を明かし、招安のことを話す。李師師は、話はわかったからと燕青に酒をすすめた。彼女は燕青が気に入って彼をその気にさせようという腹。燕青に諸般の芸の腕前を拝見したいともちかけ、自分から簫の笛を吹いて見せ、彼が吹き始めると、それに合わせて歌い出す。それから杯を燕青にすすめ、艶めかしい声で誘ったり、服を脱いで立派な体をみせろと迫り、やむなく肌脱ぎになった燕青の体が気に入って、李師師は手でさするのである。当の燕青は招安のことで頭が一杯でそれどころではない。一旦旅館に戻って戴宗と連絡をとり、再び李師師のところに戻った。招安のことを再び相談すると、李師師は今晩天使様に会えばうまくいくと言う。果たして道君皇帝が来ると李師師は燕青を紹介し、酒の相手をさせ歌をうたわせた。梁山泊に二年いたと燕青は告白し、皇帝はその罪を許す赦免状をしたためる。燕青は皇帝の尋ねに応じて、梁山泊がこれまで天に替って道を行い常に忠義をつくしてきたこと、招安をこれまで受け入れなかった実状を話し、李師師が陛下の周りの奸臣がいけないのです、と奏上すると、皇帝はしきりに慨嘆するのだった。その夜更け燕青は赦免状を受け取って辞し、天子は李師師と同衾した。

最後の場面は、宋江らが毒殺されたり、自殺したりしたあと、上皇となった道君がふと李師師を思い出して訪ねる最終回である。李師師の部屋で酒を数杯飲んでふと眠気を催した上皇の前に、一陣の冷たい風とともに一人の男が部下を引き連れて現れる。男は自分が宋江であり、皇帝から賜った酒に毒が入っていたために死に、李逵が反乱を起こして忠義の名を辱めぬように、毒を飲ませて殺したこと、呉用と花栄があとを追って自殺したことなどを告げた。そこへ李逵が出てきて斧を振り回し、あんたが四人の奸臣を信じたために我々は命をなくしたのだ、今こそ恨みを晴らしてやる、と襲い掛かってきたのに驚いて上皇は目を覚ます。まだ起きていた李師師に夢の話をすると彼女は「正直者はきっと神になると申します。宋江はもしや既に亡く、夢に託して陛下のもとにあらわれたのではございますまいか」と奏上した。上皇は嘆き悲しみ宮中に戻って臣下に事実を確かめようとする。

『水滸伝』に李師師が登場する場面のあらましは以上の通りである。すでに述べたように李師師は皇帝と梁山泊をつなぐパイプラインの役目を担わされている。それは実際のつながりにおいても、夢のような象徴的なつながりにおいても同様である。

『貴耳集』での周邦彦の役回りを、『水滸伝』では燕青が果たしている。この燕青と李師師のやりとりは、それぞれの人物像が対照的で面白いエピソードになっている。『水滸伝』には珍しい艶っぽい場面でもある。また宋江と柴進が最初に李師師に会ったとき、燕青は彼らを山東の金持ちの商人と紹介している。これは『李師師外伝』の趙乙とのアナロジーでもあり、物語上の役割の付け替えが行われたわけだが、それは金銀宝石に目のない李媽媽にたんまりと贈り物ができるための設定でもある。

『水滸伝』が、このように宋江らと李師師の接点を設けていることは、「宋江ら三十六人」の件が片付いた後で徽宗が李師師のもとに通い始める『宣和遺事』の設定とは、時間軸にずれがあり、歴史的実態に近いのは『宣和遺事』の設定であろうと思われるが、李師師の巫女的役割を重視した『水滸伝』作者が意図的に時間軸を操作したものと考えられる。

このように見てくると、李師師のエピソードは徽宗皇帝が足繁く通った妓女という基本的枠組みから出発して、様々な局面から物語化されてきたのだと言えよう。それは皇帝の失政と華美贅沢に対する諷刺であったり、異民族の侵入に対して毅然として節を守る女性への賛美と節操のない家臣への批判であったり、皇帝をそそのかして国の政治を悪くする奸臣に対する批判であったりする。

いずれにしても、李師師というキャラクターを主人公にすれば、波瀾万丈の歴史小説が書けるのではないかとは、誰しも考えうることである。

2. 施蟄存の描いた李師師

しかし施蟄存が書いたのはそのような波瀾万丈の歴史小説ではなかった。彼の作品は、章のはじめに書いたように、歴史の一こまを切り取る短編小説の体裁を使った、あまりストーリー性のない歴史小説であり、また彼の他の小説にもよく見られる女性の心の襞を細かに描き出していく心理小説でもあった。

朝の陽光が李師師の顔を照らす描写から始まる。目を覚ました李師師は夕べからとまっている新しい客のだらしない寝姿といびき、よだれ、惜しげもなく金を使って美しいものを手に入れようとする態度に吐き気をもよおすのである。その客である豪商の趙乙が目を覚ましそうになったので、反対側を向いて寝たふりをしながら、李師師は、趙乙が寝床を出て、着物を身につけ、部屋を出ていく様子を伺っていた。それから起き上がって物思いに耽る。金さえ出せばどんな相手だろうと拒めない、しかし来る客といえば嫌な相手ばかりのこの商売を嘆くばかりである。もともとちゃんとした夫に嫁ぎたかったのだが、父親が罪を得て獄につながれ、李姥に養育されたのだ。李姥の使った養育費を返すために売春するのも仕方がない。李師師が目覚めたので李姥が話しに来る。昨日の趙という客はどうだった？　気前よくはずんでくれたのだから、少しはやさしくしてやりなさい、といったことである。通ってくる客のなかで李師師が気に入っているのは役人の周邦彦だけである。教養があって自分で曲を作って歌ったりするのだ。夕方になって李姥が慌てふためいて、あの趙乙が皇帝様だった、あんたが日ごろからお高くとまっているから、こんな災いが降りかかるんだ、と騒いだ。李師師も驚くが相手の夕べの様子を思い出し、悪いことにはなるまい、むしろ皇帝様の相手をしたとなれば自分もお妃と同じだ、というような夢想に耽る。また皇帝がお出ましかと思ったら、次の客は周邦彦だった。目の前の周と夕べの趙と名乗った実は皇帝とを比べながら、どうして目の前の周が皇帝ではないのだろうという妄想に耽る李師師。そこへ侍女が皇帝様のおなりを知らせる。夕べの趙乙が輿から降りてくるのを迎えながら、李師師にはこの男は本当の皇帝ではない、今まで酒を飲んで歌をうたっていた役人の周邦彦こそ本当の皇帝に違いない、という奇妙な考えが頭に浮かぶ。

ざっとこのようにあらすじを見ただけで、すぐに判るように、この小説は『李師師外伝』と『貴耳集』の李師師の挿話を合成したものである。父親が獄につながれたとか、李姥に引き取られて養育されたとか、愛想が悪いとかは、いずれも『李師師外伝』にもとづいた設定にほかならない。また周邦彦が来ているところに徽宗皇帝が鉢合わせになった、というのは『貴耳集』の挿話である。

一方、賈奕という夫がいたとし、また最後に徽宗が李師師を李明妃に冊封する『宣和遺事』の挿話は、悉く採られなかった。施蟄存は『宣和遺事』を当時知らなかったのか、それとも存在を知りつつ故あって無視したのか？

『水滸伝』の燕青にちょっかいを出す李師師の挿話も採られていない。こちらは恐らく李師師のイメージが施蟄存のものと合わなかったものと思われる。施蟄存は基本的に『李師師外伝』の挿話を下敷きにしているが、その李師師のイメージは妓女という身分にも関わらず高貴な印象を与えるからである。そのイメージからすれば、『水滸伝』の李師師の行為ははしたない。ただ、その高貴さの究極とも言うべき、金の簪を折って呑み込み自殺する『李師師外伝』のクライマックス部分を施蟄存が採らなかったのはなぜなのか？

もちろんそれはこの小説を歴史の一部分を切り取ってみせる形の短編小説として完結させるためであった。周邦言こそ本当の皇帝だったらと妄想するような作品に、このような劇的な結末をつけることはかえって不自然なのである。その結果として、それまでの施蟄存の歴史小説のような強烈なインパクトをもたない平凡な作品になってしまった。少なくとも当時の施蟄存の読者はそう感じたに違いない。

前章で私はこの「李師師」という作品について、茅盾流の歴史の一部分を切り取って見せる短編小説を書こうとしたが、諷刺性を獲得できず失敗作となったという評価をした。その諷刺性について、好意的に解釈すれば、「李師師」における心理描写によって、近代中国の売春制度を批判したものと捉えられないこともない。しかしこの作品からは通り一遍の主張が読み取れるだけで、独自の分析の鋭さが感じられないのである。その意味でやはりこの作品は失敗作である、と言わざるを得ない。

もし施蟄存が茅盾流の短編にこだわらずに、それまでの「鳩摩羅什」「将軍底頭」「石秀」の路線、すなわちストーリーの奇抜さを追求する物語路線で「李師師」を書いていたら、評価はまったく違ったのではないか。「鳩摩羅什」で歴史書にあった「焼け残った舌」の挿話を膨らませたように、『李師師外伝』の金の簪を呑む挿話を膨らませる、ということは可能だったと私は思う。

後の「黄心大師」で、八度失敗した鐘の鋳造を成功させるため自ら焼けた鋳型に跳び込んで人柱となった黄心大師の姿は、同じ宋代の妓女であったことも然る事ながら、『李師師外伝』で女道士となったとされるエピソードを持つ李師師と重なって見える。幼くして「本物の仏弟子」と称された李師師と老尼に出家を予言されていた黄心大師、商人に扮した皇帝を客とし詞人周邦彦との間で心揺れる李師師と茶商季と結婚し、また権力をもった人物によって夫と別れさせられた黄心大師、二人は非常に共通点が多い。「黄心大師」の語り手も、物語のなかで、南昌の黄心大師が同時代の開封の妓女李師師と比較されたことを述べているが、実は黄心大師は、施蟄存が「李師師外傳」を焼き直して生まれ変わらせた人物像であったに相違ない。

注

（1）序章「歴史小説に見る施蟄存の方法意識――茅盾との比較から」及び第二章「施蟄存『黄心大師』をめぐって」を参照のこと。

（2）『辞海』の七九年版は、この四七年版の記述に基づいていると思われるが、ところどころに内容の省略があり、意味がわかりにくくなっているので、四七年版に依拠することにした。
（3）『中国古代文学名著辞典』張俊　李道英　主編、四川人民出版社、一九九一年。実はこれと同内容の記述は既に魯迅の『唐宋伝奇集』に基づいている。
（4）「李師師外傳」と題する文献は、魯迅『唐宋伝奇集』巻八（二十巻本『魯迅全集』第十巻一九七三年刊）と『古體小説鈔　宋元巻』（程毅中編　中華書局　一九九五年十一月）に収録されているが、同内容と考えられる。
（5）二十巻本『魯迅全集』第十巻「唐宋伝奇集・稗辺小綴」五一四頁
（6）二十巻本『魯迅全集』第十巻、「唐宋伝奇集・稗辺小綴」五百十四頁～五百十六頁参照。
（7）『水滸伝』の挿話については、『古本小説叢刊　第二集　水滸忠義志伝』及び『古本小説叢刊　第二十四集　鍾批水滸伝』によった。

第四章　「石秀」の成立

問題の所在

施蟄存は「わが創作生活の歴程[1]」で、こう述べている。

「鳩摩羅什」の後、これに続く作品はなかなか書けなかった。『新文藝』第二号の編集に際し、私は「達磨」という作品を書こうと思い、また「釈迦牟尼」という作品を書こうと思って、そちらの方面の資料を捜して回ったが、結局一字も書けずじまいであった。（中略）

かくて、「鳩摩羅什」の流れをくむ「石秀」と、「梅雨之夕」の流れをくむ「巴黎大戯院」及び「魔道」を同じ年の『小説月報』に発表した。後の二編が発表されると、適夷先生が『文藝新聞』に大袈裟な評論を発表したため、今日に到るまで私は新感覚主義者という肩書きを頂戴することとなった。思うにこれは余り的確ではない。私には西洋や日本の新感覚主義がどのようなものであるかは分からないが、自分の小説がFreudism を応用した心理小説に過ぎないことは自分でわかっているからだ。

「石秀」のあと、古い題材を応用して新しい作品を書いたものに、「将軍底頭」と「孔雀胆（後に阿檻公主と改題）」の二編がある。

これは従来、施蟄存が歴史小説を書くに際してフロイトを応用したことを裏付ける発言として、何度も引用されてきた箇所である。しかしこの文章そのものの細かいニュアンスを汲み取ろうとする研究を私はまだ目にしていない。

実はこの文章は微妙な問題を含んでいる。この記述では、「鳩摩羅什」のあと、「石秀」を書いて、次に「将軍底頭」を書いたことになる。「わが創作生活の歴程」を書いた一九三三年五月時点の施蟄存の頭の中では、「石秀」が先で、「将軍底頭」が後に成立したのでなければならなかったようだ。しかし「将軍底頭」は一九三〇年十月、「石秀」は一九三一年二月にそれぞれ『小説月報』に発表されている。もちろん執筆順と発表順が逆になることもありうるが、施蟄存が「石秀」を『小説月報』に発表したとき、末尾につけた「あとがき」（一九三〇年十一月三十日執筆）で述べているように、「石秀」の着想は、一九三〇年の九月上旬である。それから何度も書き直して十一月三十日に完成するのだが、その十日後の十二月十日にでた『小説月報』に「将軍底頭」が掲載されたとすれば、「将軍底頭」が先に書かれたのでなければおかしい。たとえ『小説月報』の発行がなんらかの原因で遅れたとしても、そのことが執筆順に影響するとは考えにくい。実は施蟄存自身、歴史小説四編を「鳩摩羅什」「将軍底頭」「石秀」「阿襤公主」の順で収めた小説集『将軍底頭』のために一九三一年十月に書いた序文で、はっきり作品が出来た順に配列したと述べているのだ。事実がそうだとすれば、「わが創作生活の歴程」を書くとき、施蟄存の頭のなかで、「将軍底頭」をとばして「鳩摩羅什」と「石秀」を直結する何らかの関係が強く意識されていたことによって、このような「誤認」が生じたと考えざるを得ない。

施蟄存が「わが創作生活の歴程」で書いているように、「鳩摩羅什」のあと、彼はダルマやシャカのような歴史上の有名人物をとりあげる予定だったが、うまく書けなかった。「将軍底頭」の主人公花驚定将軍は、杜甫の詩で世に知られる人物だが、鳩摩羅什やダルマやシャカほどの知名度はない。石秀はしかし登場する『水滸伝』

という作品自体が世界的に著名な文学作品である。そういう意味で施蟄存の記憶に強く残ったのであろうか？いやむしろ「石秀」が苦労の果てに書き上げた作品である、ということと、「鳩摩羅什」のあとのスランプとが、どこかでつながってしまったに違いない、と私は考える。

この小説は着想を得てからずいぶん時がたつが、今年の九月上旬になってようやく原稿の第一頁を書き始めた。十頁まで書いたとき、全部破棄して、最初から書き直した。今日ようやく完成したのである。(2)

という「あとがき」の言葉から、その苦労の一端が読み取れる。だとすれば「鳩摩羅什」の後のスランプと「石秀」執筆の苦労とが重なって、間に挟まった「将軍底頭」を意識の外にはじき出してしまった、ということは考えられないことではない。

さらに施蟄存は先に触れた小説集『将軍底頭』の序文で作品の執筆順に触れたあと、次のように述べている。

賢明な読者は、これらの作品が同じように古事を題材にした作品であるにもかかわらず、描写の方法と目的の上で、この四篇は必ずしも同じではないということに気づいたに違いない。「鳩摩羅什」は道と愛の衝突を描き、「将軍底頭」は民族と愛の衝突を描いている。「石秀」一篇は性欲心理を描くのに力を注いだに過ぎない。最後の「阿襤公主」の目的は、単に美しい物語をわれわれの眼前に復活させることにあった。(3)

施蟄存は「石秀」が実際には楊雄に対する義理と潘巧雲に対する恋情の葛藤（衝突）を重要なモチーフとして描いているにもかかわらず、「〇〇と愛」という心理分析にありがちな葛藤の図式を当てはめるのではなく、む

しろ「性欲心理を描くのに力を注いだに過ぎない」と明言しているのである。そして、

この作品を書いている間に本誌に続けざまに水滸伝の内容を題材とする創作が二篇掲載されたし、他所の雑誌にも数篇あるが、計算してみると、悪い慣例の始まりはやはり本篇とみなすべきである。自ら奇を衒うというのではなく、後追いをしたのではないことを明らかにしておきたいのである。(4)

という。この「あとがき」の言葉は、茅盾の同時期の水滸伝題材作品「豹子頭林沖」(『小説月報』二十一巻八号一九三一年八月)「石碣」(『小説月報』二十一巻九号、一九三一年九月)を念頭におきつつ単に作品の執筆時期や発表が先か後かにこだわっているように見えるが、実は「力を注いだ」「性欲心理」の扱いにおけるオリジナリティを主張しているのだ。

では、「性欲心理」に力を注ぎ、苦労して書いた「石秀」とはどのような作品であるのか、またその苦労とはどのようなものであったのか? どのような力の注ぎ方であったのか?

「石秀」という作品

まず「石秀」という中篇小説の全体像をつかんでおこう。

作品は全五章、漢数字で単に一から五まで数字を打つだけの区割りで、序文はなく、『小説月報』版では、「五」の後に表題なしの「あとがき」に当たる説明が付されているが、その末尾に「十一月三十日寫畢記」(十一月三十日書き終えて記す)とある。

プロットは起（「一」）、承（「二」と「三」）、転（「四」）、結（「五」）構造をなしていると考えられる。

「一」では、石秀が楊雄の家に寄宿する最初の晩の石秀の心の動きが描かれる。そのなかに石秀の生い立ち、梁山泊へ誘われていること、楊雄との出会い、楊雄の妻潘巧雲への恋情と自己抑制などが手際よくもり込まれており、物語への導入（「起」）の役目を果たしている。

「二」は、「一」を受け（「承」）、その翌朝の潘巧雲とのからみを通して、石秀の潘巧雲に対する屈折した恋情を描く。「三」はさらに「二」を受け、潘巧雲がもと妓女であったという素性、その潘巧雲からの誘惑、石秀の内心の愛欲と義理の葛藤などが描かれる。

「四」では、石秀の潘巧雲に対する揺れ動く性欲心理と彼が彼女の浮気に気づく挿話、それから妓女との情事（「転」）が描かれる。潘巧雲の美しい裸体を抱く海闍黎裴如海の肉体を想像し、そこに自己を投影する石秀の心理描写があるが、指を切った妓女の指から流れる血を見て快感を覚える挿話は物語の新たな展開において、より重要な意味を持つ。

「五」では、潘巧雲浮気の事実を楊雄に告げ、手先の修行僧、浮気相手の海闍黎裴如海を殺害、更に楊雄をそそのかし、潘巧雲と侍女の迎児を殺害させるにいたるプロットが描かれる。石秀の心理描写には、裏切りに対する復讐心、サディズム、バラバラ殺人の快感、カニバリズムなど異常心理が次々に現れる（「結」）。

物語の流れを見る限り、この小説は楊雄の妻潘巧雲に対する石秀の揺れ動く性愛心理を描きつつも、なぜ石秀が楊雄をそそのかして潘巧雲を殺害させるにいたるのか、その心の動きを描き出すことにあったと考えてよい。だとすれば、この小説で最も施蟄存が描きたかった主題は「五」のなかに、というか、「五」の描き方そのものに表れているのではないだろうか。

『水滸伝』との比較

すでに何人かの研究者によって指摘されているように、「石秀」は『水滸伝』第四十五〜四十六回を踏まえながら、『水滸伝』にはない石秀の愛欲心理の葛藤をフロイトの心理分析をつかって描き出したものである。[5]ただ、施蟄存自身「あとがき」に書いているように、

読み直してみると、全く満足のいくものではなく、はじめに予定していたものとは、大いに食い違っている。しかもそのなかに三箇所『水滸伝』の原文を引き入れざるを得なかったのは、とりわけ残念である。しかしそこまで仕上げるのは容易でなかったし、しばらくそのままにし、過日の改作を期することとする。[6]

と作品の出来に作者ははなはだ不満の様子である。

ここで注意しなければならないのは、「三箇所『水滸伝』の原文を引き入れざるを得なかった」ことである。私は今回『水滸伝』の該当箇所と「石秀」のテクストを比較することによって、興味深い事柄に気づいた。[7]

第一に、『水滸伝』の原文がそのまま用いられている箇所は、上で見た最後の章つまり「五」に集中してあわれることである。これは二つの可能性を示唆する。一つは、施蟄存が『水滸伝』の第四十五、四十六回のエピソードをもとに「四」までは完全にオリジナル・テクストとして書き、「五」にいたって、プロットの展開上、どうしても原文をそのまま残した形にせざるを得なかった、という可能性である。もう一つの可能性は、最初から『水滸伝』の原文を残すつもりで、その上に肉付けする形で「五」を書き、それにあわせて、「一」から「四」

を創作した、というものである。実際には、その二つの可能性の中間的なものであったかも知れない。いずれにしても、この「五」の部分の詳細な検討なくしては、この問題は論じられないのである。

施蟄存が「三箇所」と述べているのは、三つの大きな段落という程度の意味であって、それぞれの段落の中にも、『水滸伝』そのままの部分とそうでない部分とがある。細かく分ければ、数字は三つよりはずっと大きなものになるだろう。ちなみに私の作成した資料では、「五」のオリジナル・テクストである第二段落までを除いた第三段落から最後の行までの約五十パーセントは、何らかの形で『水滸伝』の文章をそのまま写したものである。

「五」がどれほど『水滸伝』に負っているか、この数字から明らかであろう。

しかし、どのように負っていたのかを具体的に見てみれば、それが単なる引き写しとは性格が違うということが明らかになる。

すべての例を挙げる紙幅はないが、以下はその典型的なものである。なお引用のゴチック体は『水滸伝』そのままの部分、イタリック体は『水滸伝』と異同のある部分（その後のかっこ内は『水滸伝』での記述）、明朝体は施蟄存のオリジナル・テクストと思われる部分（訳は拙訳）である。

到了客店裏的小房内，石秀便説道：

——哥哥，兄弟不説謊麽？

楊雄臉一紅，道：

——兄弟，你休怪我。是我一時愚蠢，不是了，酒後失言，反被那婆娘瞞過了，怪兄弟相鬧不得。我今特來尋賢弟，負荊請罪。

石秀心中暗想，原來你是來請罪的，這倒說得輕容易。難道你簡直這樣的不中用麽。待我來激他一激，看他怎生，當下便又道：
——哥哥，兄弟雖是個不才小人，卻是個頂天立地的好漢，如何肯做這等之事？怕哥哥日後中了奸計，因此來尋哥哥，有表記教哥哥看。——
說着，石秀從坑下將過了和尚頭陀的衣裳，放在楊雄面前。一面留心看楊雄臉色。果然楊雄眼眶一睜，怒火上衝，大聲地說道：
——兄弟休怪。我今夜碎割了這賤人，出這口惡氣。
石秀自肚裏好笑，天下有這等鹵莽的人，益發待我來擺佈了罷。便自己沉吟了一回，打定主意，纔說道：
——哥哥依着兄弟的言語，教你做個好男子。
楊雄很相信地說：
——兄（賢）弟，你怎地教我做個好男子？
石秀道：
——此地東門外有一座翠屏山，好生僻靜。哥哥到明日，只說道，「我多時不燒香，我今來和大嫂同去，」把那婦人賺將出來，就帶了迎兒同到山上。小弟先在那裏等候着，當頭對面，把是非都對明白了，哥哥那時寫一紙休書，棄了這婦人，卻不是上着？
楊雄聽了這話，沉思了好半歇，只是不答上來。石秀便把那和尚頭陀的衣裳包裹好了，重又丟進坑下去。只聽楊雄說道：
——兄弟，這個何必說得，你身上清潔，我已知了，都是那婦人說謊。
石秀道：
——不然，我也要哥哥知道她和海闍黎往來真實的事。

楊雄道：
——既然兄弟如此高見，必然不差，我明日准定和那賤人同上翠屏山來，只是你卻休要誤了。
石秀冷笑道：
——小弟若是明日不來，所言俱是虛謬。

旅館の小さな部屋に戻ると、石秀は早速切り出した。

「兄貴、兄弟は嘘をつきやせんね。」

楊雄が顔を赤くしていった。

「兄弟、悪く思わんでくれ。おれがバカだったから仕出かした間違いだ。酒を飲んで口がすべってしまい、逆にあの女にたばかられたのだ。兄弟を恨んで騒ぐような真似はすべきではなかった。今わざわざ賢弟をたずねてきたのは、荊を背負って許しを請うためだ。」

石秀はひそかに思った。「実は許しを請いにやってきたのだ。それなら話は簡単だ。あんたって人は、やはりろくでなしではなかった。」

けしかけたら、どう出るか、ものはためしだ、とすぐさまこう言ったのである。

「兄貴、兄弟は何もとりえのない小物ですが、一本立ちの男一匹でござんす。どうしてそんな大それたことができやしょう。兄貴が計略にかかってはいけないと思って、たずねていったのは、証拠をお見せしようと思ったからで。」

そういいながら、石秀は穴から和尚と修行僧の服をとりだし、相手の顔色に注意をはらいながら、その面前に置いた。果たして楊雄はかっと眼を見開いて、怒りがこみ上げ、大声で言うのだった。

「兄弟、悪く思わんでくれ。今晩あの女を八つ裂きにでもしてやらないと、気が晴れない。」

石秀は心から可笑しかった。世の中にこんな粗忽ものがいるとは。もっとけしかけてやれ。そこでちょっと考えて、考えをまとめると、ようやく言葉を発した。

「兄貴、兄弟の言うとおりにしてくれたら、兄貴を男にして進ぜやしょう。」

楊雄はその言葉を信じて言った。

「兄（賢）弟、どうやって俺を男にしてくれると。」

石秀が言った。

「ここから東の方の門外にちょっとばかし辺鄙な翠屏山というのがありやす。明日になったらこう言ってくだされ。俺は長いこと線香をあげておらん。今日はお前と一緒にいきたい、と。こう奥さんをだまして、迎児をつれて山まで連れ出す。兄弟は先に行って待ち構えておりやすから、面と向かって白黒をつけやしょう。兄貴はそのときに三行半を書いて、つきつけるんでやす。良い考えでしょう。」

楊雄はそれをきくと、しばらく考え込んで、返事をしなかった。石秀はすぐさま和尚と修行僧の服を丸めると、再び穴の中にしまった。すると楊雄が、

「兄弟、言うまでもないことだが、あんたの身の潔白はわかった。すべてあの女の嘘だったのだ。」

石秀が言った。

「されど、海闍黎との往来の事実は知っておいていただきたいんで。」

楊雄が言った。

「兄弟がそこまで言うなら、間違いはあるまい。俺はあした必ずあの不届き者と一緒に翠屏山に登ろう。ただあんたも決して遅れないようにな。」

石秀が冷ややかに笑って言った。
「あっしがもし明日行かなかったら、言ったことはすべて嘘になってしまいやす。」

一見して明らかなのは、『水滸伝』における会話部分はほぼ一言一句そのまま取られていることである。施蟄存は『水滸伝』で交わされる登場人物の会話に依拠しながら、その周辺の地の文に、手を加え、加筆し、人物の心理状態が明確に出るように工夫している。

残りの五十パーセント、つまり『水滸伝』原文を援用していない部分は、「一」から「四」と同様に、石秀の揺れ動く性欲心理が、粘り強い文体で描き出されているのである。その内容については、後で述べることにするが、ともかく、「五」において『水滸伝』を援用した部分は、明らかに、『水滸伝』に不足している心理描写と心理が表れる人物の表情や仕種の描写を補っているのである。施蟄存は原文を残したことをわざわざ「あとがき」で告白することによって、稚拙と誤解される危険性があったとしても、人物の心理描写を補ったことで、わざわざ原文を残した動機が目立つようになる、という効果のあることを予測していたに相違ない。

紙幅の関係ですべてをあげることはしないが、ほかにも施蟄存が『水滸伝』の原文をそのまま残す必要があったと思われる箇所は多い。なかでも次のこの部分は大事である。

楊雄一步向前，把尖刀只一旋，先挖出了一個舌頭。鮮血從兩片薄薄的嘴脣間直灑出來，接着楊雄一邊罵，一邊將那婦人又一刀從心窩裏直割下去到小肚子。伸手進去取出了心肝五臟。石秀一一的看着，每剜一刀，只覺得一陣爽快。只是看到楊雄破着潘巧雲底肚子，倒反而覺得有些厭惡起來。蠢人，到底是劊子手出身，會做出這種事來。隨後看楊雄把潘巧雲底四肢，和兩個乳房都割了下來，看着這些泛着桃紅色的肢體，石秀重又覺得一陣満足的愉快了。真是個奇觀啊，分析下來，毎一個肢體都是極美麗的。

楊雄は一歩進み出ると、刀を振り回し、まず舌を抉り出した。鮮血が二枚の薄い唇からまっすぐに流れ出てくる。楊雄はののしりながら、**女の胸からまっすぐ下腹部まで一刀のもとに切り下ろし、手を中に入れて、心臓肝臓など内臓を取り出した。**石秀は逐一それを目に納めながら、一刀毎に爽快な気分になった。ただ楊雄が潘巧雲の腹を割いたのを見ては、嫌悪感を催さずにはいられなかった。うつけものめ、所詮首切り役人の出だな。こんなことをしでかすとは。しかし続けて楊雄が潘巧雲の四肢と二つの乳房を切り取ったとき、その桃色の肉体を見ていると、石秀はまた愉快な満足を覚えるのであった。まことに類まれなる光景ではないか。ばらばらにしても、その手足の一つ一つはきわめて美しかった。

楊雄が潘巧雲を殺害する残虐なシーンである。『水滸伝』では、わずか一、二行ほど（ゴチック体の部分）の、楊雄が潘巧雲の腹を割き内臓を取り出す描写、これを施蟄存は膨らませて、そのシーンの前に楊雄が潘巧雲の舌を抉り出し、鮮血が流れる描写を付け加え、傍観する石秀の愛欲心理の描写を補うことによって、迫力あるサディズムのシーンに再構成している。『水滸伝』が淡々と楊雄の残虐行為を写しているのみであるのに対して、施蟄存はそれを石秀の心の動きという視点からリメイクしたのである。『水滸伝』の文がそのまま取り込まれていることによって、施蟄存がどのように加工したのかが、逆に際立って見える仕掛けになっていると言えよう。

その結果、重要な場面が浮かび上がる。すなわち楊雄が潘巧雲の舌を抉り出す場面は施蟄存が付け加えたのであり、第一章の「鳩摩羅什」においても見られたように、「舌」が性欲のシンボルであるならば、楊雄の行為は妻の不貞に対する懲罰行為として行なわれているのだと言うことを施蟄存が表現しようとして加えた描写だと推測できるようになるのである。楊雄の残虐な殺人は、そのように描写して初めて、物語のロジックに合致する合理化が行われ、文学的リアリティを獲得するのだ、と言ってもよい。

このように見てくると、施蟄存が『水滸伝』をもとに「五」を先に書き上げ、それにあわせて、「一」から「四」までを組み立てたという可能性の方が高いように思われてくる。『水滸伝』の文を残しつつも、さらにその上に付け加えた題材や描写の中に、施蟄存が最も描きたかったものが現れているからだ。

「石秀」の主題

では施蟄存は、もとの『水滸伝』の枠組みを利用しながら、どのような題材を付け加えたのであろうか。

「石秀」にあって、『水滸伝』にない題材として、先ず石秀の潘巧雲に対する揺れ動く愛欲心理がある。この題材は「一」から「五」に一貫して現れるものである。例えば、「五」の初めの方で、潘巧雲と裴如海の不倫を察知した石秀は、自分が潘巧雲につれなくしたから潘巧雲が坊主に走ったのだと考える一方で、楊雄の立場になって、潘巧雲の浮気を責める。しかしまた裴如海が潘巧雲の美しい肉体を我が物にしたのだと想像をたくましくし、和尚の艶福をうらやみつつ、潘巧雲を抱いた和尚の肉体に自分を投影するのである。

「五」のラストシーン、潘巧雲のバラバラにされたピンク色の死体と臓物にカラスが集るのを見て、「美味そうだ」と石秀がひとりごとをいう最後の場面にカニバリズムがあることは、指摘するまでもない。

重要なのは「四」の後半部分である。石秀と妓女の交情において、誤って傷ついた妓女の指から流れる血の美しさと苦痛に歪んだ妓女の表情に石秀が陶酔的な快感を覚えるという描写がある。これは『水滸伝』の枠組みをはずれ、石秀という人物像からも離れて行くことを意識しながら、張平に指摘されることになる矛盾を、物語に生じさせる犠牲を払っても、施蟄存はどうしてもこの挿話を付け加えたかったのである。『水滸伝』の物語の背景である宋という時代に発達した勾欄とよばれる演芸場あるいは芝居小屋を物語に取り込むことで、作品にリアリティを出す意味もあったであろうが、むしろそこで知り合った妓女との交情を契機にサディスティックな欲望に目覚めさせるという物語展開上の伏線が必要だったのだ。そこであえて『水滸伝』にない挿話をいれたのである。

それは修行僧そして裴如海と立て続けに殺害した石秀が、殺人に爽快感を味わうという描写（快楽殺人）、バラバラにされた潘巧雲の死体を美しいと感じる感覚を描きだしていく伏線でもあった。

施蟄存が「性欲心理を描くのに力を注いだ」という、作品の主題としての性欲心理とは、そういった題材群によって構成される石秀のサディズムであった。それを描き出すに際して、石秀のサディズムが形成されてから、楊雄による残虐な殺人を通して、石秀がサディスティックな快感を得ていく過程における物語の展開に、施蟄存がどれほど苦労をしたかは、以上の分析から、容易に想像できよう。

性愛題材の由来

それにしても、施蟄存はそういった題材をどこから得たのであろうか？

李欧梵はこう指摘している。

面白いのは施蟄存が女嫌いの小説『水滸伝』から一章を切り取って主題とし、サド侯爵（Marquis de

Sade）の理論を用いて、これに対して男性の女性に対する性的虐待といった変態的心理研究の形で書き換えを行ったことである。施蟄存はサド侯爵の影響を深く受け、その理論を用いて作品を書いた唯一の中国人作家であった。(8)

李欧梵はその根拠として、上海で施蟄存と会見したとき、サドの本ならどれでもいいから入手したい、という意向のあったことを挙げている。思うに、これは根拠にはならない。むしろ施蟄存がサドに興味をもちつつも読んでいなかったことの証明になってしまう。私が九〇年代の初め頃指導していた上海から来た大学院留学生は、施蟄存を師と仰ぎ、当時日本語訳の新版が出たばかりだった『ソドムの百二十日』を、中国語に一生懸命翻訳していたが、それは施蟄存の示唆を受けてのことだったという。施蟄存がその時点でサドを知っていたことは疑いない。しかし「石秀」を書いた一九三〇年前後の施蟄存がサドとその著書の内容を十分理解していたということを言うには、決定的な証拠が不足している。

状況証拠を挙げるだけでよいのならば、むしろ先ず考えられるのは日本文学の影響だ。たとえば、一九〇九年七月『昴』に発表された森鷗外の「キタ・セクスアリス」の最初の数章を周作人が翻訳して、一九二八年に発表しているが、その序章にあたる個所にサディストとマゾヒストに関する言及がある。(9)一九一一年六月に『昴』に掲載された「少年」は、ある裕福な少年のサディズムを別の少年の一人称による回想の形で描いた谷崎潤一郎の初期作品であるが、これは査士元の訳で、一九三〇年十一月に上海華通書局から出版された『悪魔』に収められている。(10)谷崎の「少年」には、殺人遊びをしていた少年たちのリーダーが小刀を取り出して、従順な遊び仲間たちの指に傷をつけ、本物の血を流させて喜ぶ場面があり、施蟄存がこの場面から妓女の血の場面のヒントを得たと考えるのは、的外れではないと考えられる。『悪魔』の出版時期が、「石秀」を書いていた時期と重なっていることを偶然の一致として退けるわけには行かない。

カニバリズムについては、魯迅「狂人日記」の影響は誰しも考えるであろう。施蟄存の念頭に「狂人日記」がなかったとは考えにくい。しかし「狂人日記」のカニバリズムにはエロティックな快感原則が希薄である。一九二八年の『小説月報』に掲載されている汪静之の「人肉」という短篇小説にも、太平天国を背景とする戦乱時の飢餓と人肉嗜食が描かれている。「人肉を食べる」と「うまい」というモチーフはそこからとった可能性もないわけではない。ただ決定的な論拠とするにはやはり不十分である。逆に、歴史書や野史における戦争と飢餓の記述の中に頻繁に人肉食は登場するし、『三国演義』や『水滸伝』の別の部分にも人間の肉を食べさせる場面は登場するので、どれからの影響かを論じたり、材源を特定したりすることに、あまり意味があるとは思えない。

残酷な描写という点では、茅盾の『蝕』三部作の「動揺」の暴動場面での乱暴された女性の死体の描写にも共通点がないわけではない。

しかし目下、私が最も興味をそそられているのが、ドイツのダダイストたちの一連の作品である。マックス・エルンストの「花嫁としての解剖体」（一九二一年）、ジョージ・グロスの「リープクネヒトを倒せ」（一九一九年）「メトロポリス」（一九一六～一七年）「アッカー街の快楽殺人」（一九一六～一七年）「けちな女殺し」（一九一八年）、オットー・ディックスの「快楽殺人者（自画像）」（一九二〇年）など、彼らの絵画作品には「娼婦」「快楽殺人」「解剖」「バラバラ死体の美」といった「石秀」に共通する意匠が高い頻度であらわれるのだ。ベルリン・ダダに共通する、このような題材の背景として、オーストリアの精神科医リヒャルト・フォン・クラフト＝エビングの著書『性の心理』（一八八五または八六年）の影響が指摘されている。

性的欲望（Lust）による殺人であるとの推量は、つねに次のような事実が認められるときに得られる。性器の損傷が見られ、しかもその損傷の性格と程度とが単なる性交時の乱暴な試みとしては説明しきれないものであるとき。そしてさらには、身体の内部が暴かれたり、内蔵諸器官（大小腸、生殖器）が引き出され、なくなっているときである。（下線青野、以下同じ）[11]

だが、ほぼ同時代の施蟄存が当時グロスをはじめとするドイツのダダイストの一連の作品を知っていたかどうか、その作品を目にする機会を持ちえたのかどうか、ひいてはその作品に関する情報をわずかなりともつかんでいたのかどうか、まだ明らかにできていない。

ちなみにリヒャルト・フォン・クラフト＝エビングの邦訳書としては現在『変態性慾ノ心理』（Psychopathia Sexualis 1886／柳下毅一郎訳　原書房二〇〇二年七月）が入手可能である。その「切り裂きジャック」の部分には、

犯人はおそらく最初に犠牲者の喉を切り、それから下腹を切り開いて内臓をむさぼったと考えられる。いくつかの事件では性器を切り取って持ち去っている。バラバラにしただけで満足し、後に残していったこともある。

という記述があり、また「X氏、二十五歳」の部分には、

一度召使いの少女が指を切ったのを見たときには、たいそう欲情した。（中略）自分の悪徳と残虐な幻想から逃れようと、彼は女性との性行為にいそしんだ。性交可能なのは、娘の指から血が流れているところを想像したときだけだった。

という一節がある。また「J・H、二十六歳」には、

ある日、母親の小間使いの一人が窓を拭いているときにたまたま割ったガラスのかけらで指を切った。血止めを手伝いながら、傷口から流れ出す血を吸い上げずにはおられず、そのときに射精と絶頂感をともなう強烈な性的興奮をおぼえた。（改行）以来あらゆる機会に女性の新鮮な血を見て、可能なときには味わおうとした。特に若い娘の血を好んだ。最初のうちは、求めに応じて指を針やランセットでつっかせてくれる小間使いの娘を利用した。

という記述もあり、いずれも非常に興味深い。谷崎や施蟄存の作品世界に通じるものだからだ。

クラフト＝エビングはサディズム、マゾヒズムの名付け親であるとされており、その著書は異常性犯罪心理を分析した学術書であるが、その症例を書いた部分がサドの作品を髣髴とさせるものであることは、ここに挙げた例からも明らかであろう。このクラフト＝エビングの中国や日本における翻訳や紹介の状況が当時どうであったかを、まだ調査できていないが、谷崎や施蟄存がなんらかの形で目にしていた可能性は否定できない。クラフト＝エビングが分析したような性愛の倒錯が、世紀末から第一次大戦にかけて体験した残酷と悲惨を描くベルリン・ダダの背景として現実に存在するならば、茅盾が『蝕』三部作の「動揺」に描いたような大革命から国共分裂にいたる残酷と悲惨を体験した中国にも同様の心理があって、それを背景として、施蟄存のサディスティックな性愛描写が成立したと考えられないこともない。

参考

施蟄存の「石秀」の五を参考資料としてつける。『水滸伝』との異同を調査したものである。論文本編と同様にゴチック体は『水滸伝』そのままの部分、イタリック体は『水滸伝』と異同のある部分（その後のかっこ内は『水滸伝』での記述）、明朝体は施蟄存のオリジナル・テクストと思われる部分である。『水滸伝』の版本は、施蟄存の執筆時期に最も近い出版時期のものである。

施蟄存《石秀》　五『小説月報』二十二巻二号、一九八一年四月、書目文献出版社影印
『一百二十回的水滸』商務印書館　一九二九年十月初版一九五七年十月重印
　第四十五回　楊雄醉罵潘巧雲　石秀智殺裴如海
　第四十六回　病関索大鬧翠屏山　拚命三火燒祝家店

石秀心下思忖道：『**這條巷是條死巷，如何有這頭陀連日來這裏敲木魚叫佛？事有可疑**——』這樣的疑心一動，便愈想愈蹊蹺了，石秀就從牀上跳將起來，也顧不得寒冷，去門縫裏張時，**只見一個人戴頂頭巾從黑影裏閃將出來，和頭陀去了，隨後便是迎兒來關門。**

看着了這樣的行動，石秀竟呆住了。竟有這等事情做出來，看在我石秀底眼裏嗎？一時間，對於那個淫蕩的潘巧雲的輕蔑，對於這個奸夫裴如海的痛恨，對於楊雄的悲哀，還有對於自己的好像失戀而又受侮辱似的羞怍與懊喪，紛紛地在石秀底心中擾亂了。當初是爲了顧全楊雄哥哥一世的英名，沒有敢毀壞了那婦人，但她終於自己毀了楊雄

哥哥底名譽，這個婦人是不可恕的。那個和尚，明知她是楊雄底妻子竟敢來做這等苟且之事，也是不可恕的。石秀不覺嘆口氣，自說道：『哥哥如此豪傑，卻恨討了這個淫婦，倒被這個婆娘瞞過了，如今竟做出了這等勾當來，如何是好？』

巴到天明，把豬出去門前挑了，賣個早市。飯罷，討了一遭賒賬，日中前後，逕到州衙前來尋楊雄。心中直是委決不下見了楊雄該當如何說法。卻好行至州橋邊，正迎見楊雄，楊雄便問道：

——兄弟那裏去來？

石秀道：

——因討賒賬，就來尋哥哥。

楊雄道：

——我常爲官事忙，並不曾和兄弟快活喫三杯，且來這裏坐一坐。

楊雄把（這）石秀引到州橋下一個酒樓上，揀一處僻靜閣兒裏，兩個坐下，叫酒保取瓶好酒來，安排盤饌，海鮮，案酒。二人飲過三杯。楊雄見石秀不言不語，只低了頭好像尋思什麼要緊事情。楊雄是個急性的人，便問道：

——兄弟心中有些不樂，莫不是家裏有甚言語傷觸你處？

石秀看楊雄這樣地至誠，這樣地直爽，不覺得心中一陣悲哀：

——家中也無有說話，兄弟感承哥哥把做親骨肉一般看待，有句話敢說麼？

楊雄道：

——兄弟今日何故見外？有的話，但說不妨。

石秀對楊雄凝看了半晌，遲疑了一會兒，說道：

——哥哥每日出來承當官府卻不知背後之事。……這個嫂嫂不是良人，兄弟已看在眼裏多遍了，且未敢說。今日見得仔細，忍不住來尋哥哥，直言休怪。

聽着這樣的話，眼見得楊雄薑黃的臉上泛上了一陣紅色。呆想了一刻，才忸怩地說：

——我自無背後眼，你且說是誰？

石秀喝乾了一杯酒，說：

——前者家裏做道場，請那個禿賊海闍黎來，嫂嫂便和他眉來眼去，兄弟都看見。第三日又去寺裏還血盆懺願心，兩個都帶酒回來。我近日只聽得一個頭陀直來巷內敲木魚叫佛，那廝敲得作怪。今日五更，被我起來張時，看見果然是這賊禿，戴頂頭巾，從家裏出去。似這等淫婦要她何用？

把這事情說了出來，石秀覺得心中鬆動得多，好像所有的煩悶都發洩盡了。而楊雄，黃裏泛紅的臉色，卻气得鐵青了。他大嚷道：

——這賊人怎敢如此！

石秀道：

——哥哥且息怒，今晚都不要提，只和每日一般：明日只推做上宿，三更後卻再來敲門，那廝必定從後門先走，兄弟一把拿來，從哥哥發落。

楊雄思忖了一會，道：

——兄弟見得是。

石秀又吩咐道：

——哥哥今晚且不要胡發說話。

楊雄點了點頭，道：

——我明日約你便是。

兩個再飲了幾杯算還了酒錢，一同下樓來，出得酒肆，撞見四五個虞候來把楊雄找了去，當下石秀便自歸家裏來收拾了店面，去作坊裏歇息。

晚上，睡在牀上沉思着日間的事，心中不勝滿意。算來那禿驢的性命是已經在自家手裏的了。誰敎你吃了豹子心：您狰肝，色膽包天，敢來奸宿楊雄底妻子？如今好敎你見個利害呢。這樣躊躇滿志着的石秀，忽然轉念，假使自己那天一糊塗竟同潘巧雲這美麗的淫婦勾搭上了手脚，到如今又是怎樣一個局面呢。楊雄哥哥不曉得便怎樣，要是曉得了又當怎樣？……這是不必多想的，如果自己眞的幹下了這樣的錯事，便一錯錯到底，一定會得索性把楊雄哥哥暗殺了，省得兩不方便的。這樣設想着，石秀不禁打了個寒噤！

明夜萬一捉到了那個賊禿，楊雄哥哥將他一刀殺死了，以後又怎樣呢？對於那個潘巧雲，又應當怎樣去措置的呢？雖然說這是該當讓楊雄哥哥自己去定奪，但是看來哥哥一定沒有那麼樣的心腸把這樣美麗的妻子殺卻的。是的，祇要把那個和尚殺死了，她總也不敢再放肆了。況且，也許她這一回的放蕩，是因爲自己之不能接受她底寵愛，所以去而和這樣的蠢和尚通奸的。石秀近來也很明白婦人底心理，當一個婦人好奇地有了想找尋外遇的慾望之後，如果第一個目的物從手裏漏過，她一定要繼續着去尋求第二個目的物來抵補的。這樣說來，潘巧雲之所以忽然不貞於楊雄，也許簡接的是被自己所害的呢。石秀倒有些歉仄似地後悔着日間在酒樓上對楊雄把潘巧雲的壞話說得太過火了。其實，一則我也夠不上勸哥哥殺死她，因爲自己畢竟也是有些愛戀着她的。再則就是替哥哥設想，這樣美麗的妻子，殺死了也可惜，祇要先殺掉了這賊禿，讓她心下明白，以後不敢再做這種醜事就夠了。

懷着寬恕潘巧雲的心的石秀，次日晨起，宰了猪，滿想先到店面中去趕了早市，再找楊雄哥哥說話，卻不道到了店中，只見肉案幷櫃子都拆翻了，屠刀收得一柄也不見。石秀始而一怔，繼而恍然大悟，不覺冷笑道：『是了。這一定是哥哥醉後失（出）言，透漏（走透）了消息，倒喫這淫婦（婆娘）使個見識，攛定是反說我對她有什麽無禮。他敎丈夫收了肉店，我若便和他分辯，倒敎哥哥出醜。我且退一步了，卻別作計較。』石秀便去作坊裏收拾了衣服包裹，也不告辭，一逕走出了楊雄家。

石秀在近巷的客店内賃一間房住下了，心中直是忿悶。這婦人好生無禮，竟敢使用毒計，離間我和我哥哥的感情。這樣看來，説不定她會得唆使那賊禿，害了哥哥性命，須不是耍。現在哥哥既然聽信了她底話，冷淡於我，我卻再也說不明白，除非結果了那賊禿給他看。於是殺海闍黎裴如海的意志在石秀底心裏活躍着了。

第三日傍晚，石秀到楊雄家門口巡看，只見小牢子取了楊雄底鋪蓋出去。石秀想今夜哥哥必然當牢上宿，決不在家，那賊禿必然要來幽會。當下便不聲不響地回了客店，就房中把一口防身解腕尖刀拂拭了一回。早早地睡了。挨到四更天氣，石秀悄悄的起身，開了店門，逕踅到楊雄後門頭巷内，伏在黑暗中張時，卻好交五更時候，西天上還露着一鉤殘月，只見那個頭陀挾着木魚，來巷口探頭探腦。石秀一閃，閃在頭陀背後，一隻手扯住頭陀，一隻手把刀去脖子上擱着。低聲喝道：

——你不要掙扎，若高則聲，便殺了你。你只好好實說，海和尚叫你來怎地？

那頭陀不防地被人抓住了，脖子上冷森森地曉得是利器，直唬得格格地説道：

——好漢，你饒我便說。

石秀道：

——（你）快說！我不殺你。

頭陀便説道：

——海闍黎和潘公女兒有染，每夜來往，教我只看後門頭有香桌兒爲號，便去寺裏報信，喚他入鈸：到五更頭卻教我來敲木魚叫佛報曉，喚他出鈸。

石秀聽了，鼻子裏哼了一聲，又問：

——他如今在那裏？

頭陀道：

——他還在潘公女兒牀上（在他家裏）睡覺。我如今敲得木魚響，他便出來。

石秀喝道：

——你且借衣服木魚與我。

只一手把頭陀推翻在地上，剝了衣服，奪了木魚，頭陀正待爬起溜走，石秀趕上前一步，將刀就頸上一勒，只聽得疙瘩一聲，那頭陀已又倒在地上，不做聲息。石秀稍微呆了一陣，想不到初次殺人，倒這樣的容易，這樣的爽快。再將手中的刀就月亮中一照，卻見刀鋒上一點點的斑點，一股腥味，直攢近鼻子裏來，石秀底精神好像受了什麼刺激似地，不覺的望上一壯。

石秀穿上直裰，護膝，一邊插了尖刀，把木魚直敲進（入）巷裏來。工夫不大，只看見楊雄家後門半啓，海闍黎戴着頭巾閃了（將）出來。石秀兀自把木魚敲響，那和尚（悄悄）喝道：

——只顧敲什麽！

石秀也不應他，讓他走到巷口，一個箭步躥將上去，抛了木魚，一手將那和尚放翻了。按住喝道：

——不要高則聲！高聲便殺了你。只等我剝了衣服便罷。

海闍黎聽聲音知道是石秀，眼睛一閉，便也不敢則聲。石秀就迅速地把他底衣服頭巾都剝了，赤條條不著一絲。殘月的光，掠過了一堵矮牆，斜射在這樣露着的和尚底肉體上，分明地顯出了強壯的肌肉，石秀忽然感覺到一陣慾念。這是不久之前，和那美麗的潘巧雲在一處的肉體啊。彷彿這是自己底肉體一般，石秀卻不忍將屈膝邊插着的刀來殺下去了。但旋即想着那潘巧雲底狠毒，離間自己和楊雄的感情，教楊雄逼出了自己：又想着她那種對自己冷淡的態度，咄！豈不都是因爲有了你這個禿驢之故嗎？同時，又恍惚這個海闍黎實在是自己底情敵一般，沒有他，自己是或許終於會得和潘巧雲成就了這場戀愛的，而潘巧雲或許會繼續地對自己表示好感，但自從這禿驢引誘上了潘巧雲之後，這一切全都給毀了。只此一點，已經是不可饒恕的了。嗯，反正已經殺了一個人了。……石秀牙齒一咬，打屈膝邊摸出剛纔殺過那頭陀的尖刀來，覷準了海闍黎的脖子，只一刀直搠進去。這和尚哼了一聲，早就橫倒下去了。石秀再搠了三四刀，看看不再動彈，便站了起來，吐了一口熱氣。在石秀底意料中，恍惚殺人是很費力的事，但不知怎的，這樣地接連殺了兩個人，卻這樣地省事。石秀昏昏沉沉地聞着從寒風中吹入鼻子的血腥气，看看手中緊握着青光射眼的尖刀，有了「天下一切事情，殺人是最最愉快的」這樣的感覺。這時候，如果有人打這條巷裏走過，無疑地，石秀一定會得很饜足地將他殺卻了的。而且，在這一刹那間，石秀好像覺得對於潘巧雲，也是以殺了她爲唯一的好辦法。因爲即使到了現在，石秀終於嘿認着這個美豔的女人潘巧雲的。不過以前是抱着「因爲愛她，所以想睡她」的思想，而現在的石秀，卻猛烈地升起了「因爲愛她，所以要殺她」這種奇妙的思想了。這就是因爲石秀覺得最愉快的是殺人，所以睡一個女人，在石秀是以爲決不及殺一個女人那樣的愉快了。這是在石秀那天睡了勾攔裏的娼女之後，覺得沒有甚麼意味，而現在殺了一個頭陀，一個和尚，覺得異常爽利這件事實上，就可以看得出來的。石秀回頭一望楊雄家底後門，靜沉沉的早已關閉，好像這個死了的和尚並不是從這個門戶裏走出來的。石秀好像失望似的，將尖刀上的血跡在和尚底屍身上刮了刮乾淨。這時，遠處樹林裏已經有一陣雀噪的聲音，石秀打了個寒噤，只纔醒悟過來，忽忽地將手裏的刀丟在頭陀身邊，將剝下來的兩套衣服，捆做一個包裹，逕回客店裏來。幸喜地客人都未起身，輕輕地開了門進去，悄悄地關上了自去房裏睡覺。

一連五日，石秀沒有出去，一半是因爲幹下了這樣的命案，雖說做得手脚乾淨，別人尋不出什麼破綻，但也總寧可避避鋒頭。一半是每天價沉思着這事情的後文究竟應當怎樣辦。徒然替楊雄着想，石秀以爲這時候最好是自己索性走開了這薊州城，讓楊雄他們依舊可以照常過日子，以前的事情，好比過眼雲煙，略無跡象。但是，如果要替自己着想呢，既然做了這等命案，總要澈底地有個結局，不然豈不白白地便宜了楊雄。況且自己總得要對楊雄當面說個明白，免得楊雄再心中有什麼芥蒂。此外，那要想殺潘巧雲的心，在這蟄伏在客店裏的數日中，因爲又不時地想起了那天晚上在勾欄裏看見娼女手指上流着鮮豔的血這回事，卻越發飢渴着要想試一試了。如果把這柄尖刀，刺進了裸露着的潘巧雲的肉體裏去，那細潔而白淨的肌膚上，流出着鮮紅的血，她底妖嬌的頭部痛苦地側轉着，黑潤的頭髮懸挂下來一直披散在乳尖上，整齊的牙齒緊嚙着朱紅的舌尖或是下脣，四肢起着輕微而均勻的波顫，但想象着這樣的情景，又豈不是很出奇地美麗的嗎？況且，如果實行起這事件來，同時還可以再殺一個迎兒，那一定也是照樣地驚人的奇蹟。

中於這樣的好奇和自私的心克服了石秀，這一天，石秀整了整衣衫走出到街上，好像長久沒有看見天日一般的眼目暈眩着。獨自個呆呆的走到州橋邊，眼前一亮，瞥見楊雄正打從橋上走下來，石秀便高叫道：

——哥哥，那裏去？

楊雄回過頭來，見是石秀，不覺一驚。便道：

——兄弟，我正沒尋你處。

石秀道：

——哥哥且來我下處，和你說話。

於是石秀引了楊雄，走回客店來。一路上，石秀打量着對楊雄說怎樣的話，聽楊雄說正在找尋我，難道自己悔悟了，要再把我找回去，幫他泰山開肉舖子麼？呸！除非是沒志氣的人纔這麼做。倘若他正要找我幫同去殺他的妻子呢？不行，我可不能動手，這非得本夫自己下手不可。但我可是應該勸他殺了那個女人呢，還是勸他罷休了？不啊！……決不！這個女人是非殺不可的了，哥哥若使這回不殺她，總有一天她會把哥哥謀殺了的。……

到了客店裏的小房內，石秀便說道：

——哥哥，兄弟不說謊麼？

楊雄臉一紅，道：

——兄弟，你休怪我。是我一時愚蠢，不是了，酒後失言，反被那婆娘瞞過了，怪兄弟相鬧不得。我今特來尋賢弟，負荊請罪。

石秀心中暗想，原來你是來請罪的，這倒說得輕容易。難道你簡直這樣的不中用麼。待我來激他一激，看他怎生，當下便又道：

——哥哥，兄弟雖是個不才小人，卻是個頂天立地的好漢，如何肯做這等之事？怕哥哥日後中了奸計，因此來尋哥哥，有表記教哥哥看。——

說着，石秀從坑下將過了和尚頭陀的衣裳，放在楊雄面前。一面留心看楊雄臉色。果然楊雄眼眶一睜，怒火上衝，大聲地說道：

——兄弟休怪。我今夜碎割了這賤人，出這口惡氣。

石秀自肚裏好笑，天下有這等鹵莽的人，益發待我來擺佈了罷。便自己沉吟了一回，打定主意，纔說道：

——哥哥依着兄弟的言語，教你做個好男子。

楊雄很相信地說：

——兄（賢）弟，你怎地教我做個好男子？

石秀道：

——此地東門外有一座翠屏山，好生僻靜。哥哥到明日，只說道，「我多時不燒香，我今來和大嫂同去，」把那婦人賺將出來，就帶了迎兒同到山上。小弟先在那裏等候着，當頭對面，把是非都對明白了，哥哥那時寫一紙休書，棄了這婦人，卻不是上着？

楊雄聽了這話，沉思了好半歇，只是不答上來。石秀便把那和尚頭陀的衣裳包裹好了，重又丟進坑下去。只聽楊雄說道：

——兄弟，這個何必說得，你身上清潔，我已知了，都是那婦人說謊。

石秀道：

——不然，我也要哥哥知道她和海闍黎往來真實的事。

楊雄道：

——既然兄弟如此高見，必然不差，我明日准定和那賤人同上翠屏山來，只是你卻休要誤了。

石秀冷笑道：

——小弟若是明日不來，所言俱是虛繆。

當下楊雄便分別而去。石秀滿心高興，眼前直是浮盪着潘巧雲和迎兒底赤露着的軀體，在荒涼的翠屏山上，横倒在叢草中。黑的頭髮，白的肌肉，鮮紅的血，這樣強烈的色彩的對照，看見了之後，精神上和肉體上，將感受到怎樣的輕快啊！石秀完全像飢渴極了似地眼睜睜挨到了次日，早上起身，楊雄又來相約。到了午牌時分，便忽忽地吃了午飯，結算了客店錢，背了包裹，腰刀，桿棒，一個人走出東門，來到翠屏山頂上，找一個古墓邊等候着。工夫不多，便看見楊雄引着潘巧雲和迎兒走上山坡來。石秀便把包裹，腰刀，桿棒，都放下在樹跟前，只一閃閃在這三人面前，向着潘巧雲道：

——嫂嫂拜揖。

那婦人不覺一怔，連忙答道：

——叔叔怎地也在這裏？

石秀道：

——在此專等多時了。

楊雄這時便把臉色一沉，道：

——你前日對我說：「叔叔多遍把言語調戲你，又將手摸你胸前，問你有孕也未。」今日這裏無人，你兩個對的明白。

潘巧雲笑着道：

——哎呀，過了的事，只顧說甚麼？

石秀不覺大怒，睜着眼（來）道：

——嫂嫂，你怎麼說？這須不是閑話，正要在哥哥面前對的（個）明白。

那婦人見神氣不妙，向石秀丟了個媚眼道：

——叔叔，你沒事自把髯兒提做甚麼？

石秀看見潘巧雲對自己丟着眼色，明知她是在哀求自己寬容些了。但是一則有楊雄在旁邊，事實上也無可轉圜，二則愈是她裝着媚眼，愈勾引起石秀底奇誕的慾望。石秀便道：

——嫂嫂，你休要硬諍，教你看個證見。

說了，便去包裹裏，取出來那海闍黎和那頭陀底衣服來，撒放在地下道：

——嫂嫂，你認得麼？

潘巧雲看了這兩堆衣服，飛紅了臉無言可對。石秀看着她這樣的恐怖的美豔相，不覺得殺心大動，趁着這樣紅嫩的面皮，把尖刀直刺進去，不是很舒服的嗎？當下便颼地掣出了腰刀，一回頭對楊雄說道：

——此事只問迎兒便知端的。

楊雄便去揪過那婭嬛（丫頭）跪在面前，喝道：

——你這小賤人，快好好實說：怎地在和尚房裏入姦，怎生約會把香桌兒爲號，如何教頭陀來敲木魚。實對我說饒你這條性命；但瞞了一句，先把你剁做肉泥。

迎兒早已唬做了一團，只聽楊雄如此說，便一五一十的把潘巧雲怎生奸通海和尚的情節統統告訴了出來。只是對於潘巧雲說石秀曾經調戲她一層，卻說沒有親眼看見，不敢說有沒有這回事。

聽了迎兒底口供，石秀思忖着：好利嘴的娅嬛，臨死還要誣陷我一下嗎，今天卻非要把這事情弄個明白不可。便對楊雄道：

——哥哥得知麽，這般言語須不是兄弟教她如此說的。請哥哥再問嫂嫂備細緣由。

楊雄揪過那婦人來喝道：

——賊賤人，迎兒已都招了，(便)你一些兒也休抵賴，再把實情對我說了，饒你這賤人一(條性)命。

這時，美豔的潘巧雲已經唬得手足失措，聽着楊雄的話，只顯露了一種悲苦相，含着求恕的眼淚道：

——我的不是了。大哥你看我舊日夫妻之面饒恕我這一遍罷。

聽了這樣的求情話，楊雄的手不覺往下一沉，面色立刻更變了。好像徵求石秀底意見似的，楊雄一回頭，對石秀一望。石秀都看在眼裏，想楊雄哥哥定必是心中軟下來了。可是楊雄哥哥這回肯干休，俺石秀卻不肯干休呢。於是，石秀便又道：

——哥哥，這個須含糊不得，須要問嫂嫂一個明白緣由。

楊雄便喝道：

——賤人，你快說！

潘巧雲只得把偷和尚的事，從做道場夜裏說起，直至往來，一一都說了。石秀道：

——你卻怎地對哥哥說我來調戲你？

潘巧雲被他逼問着，只得說道：

——前日他醉了罵我，我見他罵得蹊蹺，我只猜是叔叔看見破綻，說與他。到五更裏，又提起來問叔叔如何，我卻把這段話來支吾，其實叔叔並不會怎（恁）地。

石秀只纔暗道，好了，嫂嫂，你這樣說明白了，俺石秀纔不再恨你了。現在，你瞧罷，俺倒要真的來當着哥哥的面來調戲你了。石秀一回頭，看見楊雄正對自己呆望着，不覺暗笑。

——今日三面都說（得）明白了，任從哥哥（心下）如何處置罷。石秀故意這樣說。

楊雄沉默了一會兒，終於咬了咬牙齒，說道：

——兄弟，你與我拔了這賤人的頭面，剝了衣裳，我親自服侍她。

石秀正盼候着這樣的吩咐，便上前一步，先把潘巧雲髮髻上的簪兒釵兒卸了下來，再把裏裏外外的衣裳全給剝了下來。但並不是用着什麼狂暴的手勢，在石秀，這是取着與那一夜在勾攔裏臨睡的時候給那個娼女解衣裳時一樣的手勢。石秀屢次故意地碰着了潘巧雲的肌膚，看着她底悲苦而洩漏着怨毒的神情的眼色，又覺得異常地舒暢了。把潘巧雲的衣服頭面剝好，便交給楊雄去綁起來。一回頭，看見了迎兒，不錯，這個女人也有點意思，便跨前一步把迎兒底首飾衣服也都扯去了。看着那纖小的女體，石秀不禁又像殺卻了頭陀和尚之後那樣的煩躁和瘋狂起來，便一手將刀遞給楊雄道：

——哥哥，這個小賤人留他做什麼，一發斬草除根。

楊雄聽說，應道：

——果然，兄弟把刀來，我自動手。

迎兒正待要喊，楊雄用着他底本行熟暗着的劊子手的手法，很霧快地只一刀，便把迎兒砍死了。正如石秀所預料着的一樣，皓白的肌膚上，淌滿了鮮紅的血，手足兀自動彈着。石秀稍稍震懾了一下，隨後就覺得反而異常的安逸，和平。所有的紛亂，煩惱，暴躁，似乎都隨着迎兒脖子裏的血流完了。

那在樹上被綁着的潘巧雲，發着悲哀的嬌聲叫道：

——叔叔勸一勸。

石秀定睛對她望着。唔，真不愧是個美人。但不知道從你肌膚底裂縫裏，冒射出鮮血來，究竟奇麗到如何程度呢。你說我調戲你，其實還不止是調戲你，我簡直是超於海和尚以上的愛戀着你呢。對於這樣熱愛着你的人，你難道還吝嗇着性命，不顯呈你地底最最豔麗的色相給我看看麼？

石秀對潘巧雲多情地看着。楊雄一步向前，把尖刀只一旋，先挖出了一個舌頭。鮮血從兩片薄薄的嘴脣間直灑出來，接着楊雄一邊罵，一邊將那婦人又一刀從心窩裏直割下去到小肚子。伸手進去取出了心肝五臟。石秀一一的看着，每剜一刀，只覺得一陣爽快。只是看到楊雄破着潘巧雲底肚子，倒反而覺得有些厭惡起來。蠢人，到底是劊子手出身，會做出這種事來。隨後看楊雄把潘巧雲底四肢，和兩個乳房都割了下來，看着這些泛着桃紅色的肢體，石秀重又覺得一陣滿足的愉快了。真是個奇觀啊，分析下來，每一個肢體都是極美麗的。如果這些肢體合併攏來，能夠再成爲一個活着的女人，我是會得不顧着楊雄，而抱持着她的呢。

看過了這樣的悲劇，或者，在石秀是可以說是喜劇的，石秀好像做了什麼過分疲勞的事，四肢都非凡地酸痛了。一回頭，看見楊雄正在將手中的刀丟在草叢中，對着這分殘了的妻子底肢體呆立着。石秀好像曾經欺騙楊雄做了什麼上當的事情似的，心裏轉覺得很歉仄了。好久好久，在這荒涼的山頂上，石秀茫然地和楊雄對立着。而同時，看見了那邊古樹上已經有許多飢餓了的烏鴉在啄食潘巧雲底心臟，心中又不禁想道：

——這一定是很美味的呢。

注

（1）『創作的経験』天馬書店　一九三三年六月（上海書店　一九八二年影印）所収（『砂の上の足跡』施蟄存著、拙訳、大阪外国語大学学術研究叢書22　一九九九年）

（2）『小説月報』二十二巻二号、一九三一年二月十日

（3）『将軍底頭』一九三二年一月　新中国書局（上海書店　一九八八年影印）

（4）『小説月報』二十二巻二号（一九三一年二月十日発行）

（5）早くは厳家炎「三十年代的現代派小説」（『論現代小説與文藝思潮』湖南人民出版社　一九八七年）、施建偉『心理分析派小説集・序』（百花洲文藝出版社　一九九〇年）があり、呉福輝も『都市漩流中的海派小説』（湖南教育出版社　一九九五年）で言及している。近くは李欧梵『上海摩登――一種新都市文化在中国1930―1945』（北京大学出版社二〇〇一年）が挙げられる。

（6）『小説月報』二十二巻二号、一九三一年二月十日

（7）『水滸伝』のテクストとしては、一九二九年初版の『一百二十回的水滸』商務印書館を用いた。手元にある版本のなかで、「石秀」の執筆時期と最も近かったからであるが、施蟄存がこの版本によったかどうかは定かではない。資料の細かな異同はあるいは版本の違いによるものかもしれないので、施蟄存が拠った版本を特定する材料になるかも知れないが、今回はそこまでは追究しない。ちなみに、『水滸伝』の第四十五回「楊雄酔罵潘巧雲　石秀智殺裴如海」と第四十六回「病関索大閙翠屏山　拚命三火焼祝家店」が施蟄存作「石秀」に対応する箇所である。

（8）李欧梵『上海摩登――一種新都市文化在中国1930―1945』毛尖訳、北京大学出版社、二〇〇一年十二月

（9）『北新』一九二八年第六期～九期、『周作人文選』鍾叔河選編（広州出版社　一九九五年十二月）所収

（10）『民国時期総書目・外国文学』書目文献出版社　一九八七年、による。上海図書館所蔵本によって確認済み。

（11）『ダダの性と身体――エルンスト・グロス・ヘーヒ』（香川檀著　ブリュッケ　一九九八年十二月）より

第五章　施蟄存「将軍底頭」成立の背景資料について

はじめに

　施蟄存の「将軍底頭」は『小説月報』二十一巻十号（商務印書館一九三〇年十月発行）に発表され、一九三二年新中国書局から出版された単行本『将軍底頭』に収録された。劉吶鴎、戴望舒らと発行していた同人誌『新文藝』創刊号（一九二九年九月、水沫書店）に発表した「鳩摩羅什」に続く、心理小説的歴史小説の第二編である。

　施蟄存は、同系列の次の作品「石秀」を書くのに大変苦労したらしく、『小説月報』にこれを発表したとき、そのことを「あとがき」に書いているが、「将軍底頭」については、それほど苦労をしなかったのか、あまり作品の成立に関する文章を残していない。外国人である私にとって、それほど馴染みがあるわけではなく、正史にわずかな記述があるにすぎない花卿こと花驚定将軍の物語を、施蟄存がどのようにして書いたのか、それが私にはずっと謎であった。そもそも花将軍が実在の人物なのかどうか、実在したとして、施蟄存が描いた通りの人物だったのかどうかも、わからなかった。

　そこで花将軍という人物に関する歴史資料を追いかけることによって、花卿をめぐる様々な文献資料に考察を加え、施蟄存の「将軍底頭」の成立過程を跡付けたい[1]。

1.「将軍底頭」という作品

この作品は、杜甫の「戯作花卿歌」の冒頭二句をエピグラフに用いているが、それを除くと全部で七つの章からなり、それぞれの章は一行の空白（版本によっては米印）によって区切られている。それぞれの章には表題も番号もつけられていない。叙述の仕方としては、中国の古典白話小説のような説話人の語りに近く、時間の流れに沿って叙述しつつ、語り手がそれにいたる経過説明を加えていく形式であるが、施蟄存一流の人物心理がこの語り手によって語られることになる。

まず各章に番号をつけて内容をトレースしておく。なお、カッコ内の数字は筆者が暫定的につけた段落の番号である。

一（1—4）語り手による時代の叙述（唐代宗の広徳元年あるいは二年）があり、四川西部の山道を急ぐ軍隊、大宛馬に跨る美貌の将軍＝花驚定が描写され、段子璋平定後という時期が設定され、吐蕃征伐という行軍の目的が述べられる。

二（5—28）将軍の配下の兵士の勇猛と勝利後の姦淫略奪行為、将軍の出自（祖父が吐蕃人、祖母が漢人）と吐蕃文化への憧憬。唐の武官となり、剣南節度使崔光遠の配下にあって段子璋を討伐し、段の首級を崔光遠に献上したことが語られ、しかし配下の兵士が略奪行為を働いたことで、崔が朝廷の懲罰を受け、憂愁の死をとげたという挿話がはいる。兵士が略奪を楽しみにするのを理解しつつ、嫌悪する将軍の心理、漢人である部下のそのような下劣な性格と吐蕃人の高潔さとの間で揺れ、吐蕃に帰順することを考える花将軍の心理。

三（29—42）将軍の軍隊が国境の町に到着。街の地理と歴史、吐蕃の来襲に備え、花将軍に応援軍を依頼してきた経過。

四（43—133）街に到着し、休憩のため、酒場で一人酒を飲む将軍。街の人々の将軍を見る期待のまなざし。ここで杜甫の「戯作花卿歌」の末尾部分が紹介される。勇ましい辺境守備兵との出会い。部下の一人が起こした強姦未遂事件。辺境守備兵の妹との出会い。花将軍、部下を厳しく処罰、斬首し曝す。

五（134—141）夜中。少女への恋慕と処刑した兵士の首＝軍律との相克。少女を強姦する幻想。

六（142—198）朝食後の散歩。少女との対話。「首がなくなっても、あんたに付きまとう」と将軍が予言（＝結末の伏線）。少女は、本当にそうなったら、話は簡単、兄があなたを殺す、と答える。ラッパの音が鳴り、吐蕃兵の来襲を告げる。

七（199—210）戦闘、少女の兄の戦死、それを見計らって引き返そうとする将軍の後ろから吐蕃の騎兵が切りかかる。相手の首をとり、自分も首をなくした将軍は川沿いに町へ戻ろうとする。少女が将軍に嘲りの声をかけ、将軍は倒れる。将軍がもっていた吐蕃人の首が笑い、はるかかなたの将軍の首が涙を流す。

2. 文献資料の検討

(1) 杜甫の二篇の詩

作品の成立を考える上で先ず考察しなければならない手がかりは、作品の冒頭に引用されている「成都猛将有花卿，学語小児知姓名」という杜甫の詩句である。これは七六一（辛丑　粛宗上元二）年の作とされる「戯作花卿歌」と題される杜甫作品の冒頭の二句である。全文と読みは以下の通り。

戯作花卿歌　戯れに花卿の歌を作る

成都猛将有花卿，　成都の猛将に花卿有り
学語小児知姓名。　学語の小児とて姓名を知る
用如快鶻風火生，　用うれば快鶻《はやぶさ》の風火を生ずるが如く
見賊惟多身始軽。　賊の惟だ多きを見るに身始めて軽し
綿州副使著柘黄，　綿州副使柘黄を著るに
我卿掃除即日平。　我卿掃除して即日平らかなり
子璋髑髏血模糊，　子璋の髑髏血も模糊たるを
手提擲還崔大夫。　手に提げ崔大夫に投げ還す
李侯重有此節度，　李侯重ねて此の節度を有す
人道我卿絶世無。　人は道う我卿世に絶えてなしと
既称絶世無，　既に称す世に絶えてなしと
天子何不喚取守東都。　天子何ぞ喚び取りて東都を守らしめざる

「将軍底頭」にも引用されている冒頭の2句から、花卿＝花驚定が四川省成都にあって、言葉を覚えたばかりの子供でも知っているような著名人であったことがわかる（『杜詩詳注』によれば、子供のしつけに花卿の名を出して怖がらせた、という）。三句目と四句目は、その武勇をたたえるものであるが、五句目からは歴史上の花将軍の事跡を背景としている。第五句「綿州副使著柘黄」は、皇帝を僭称した段子璋の反乱を指し、第六句は花卿がそ

れを即日平定したことを言う。花卿はそのとき剣南節度使などを兼任する崔光遠の配下にあり、七句と八句は花卿が段子璋の首級を崔に投げ渡したという勇猛ぶりを描いている。第九句の李侯とは、段子璋によって一旦成都を追われた東川節度使李奐を指す。成都に戻った李が東川節度使に返り咲いたことをいうのである。第十句から第十二句は世間で花卿ほどの猛将はいないとうわさするにもかかわらず、（洛陽の）都の天子さまはどうして花将軍を呼んで都を守らせようとしないのか、結んでいる。作品の第四章に引用されているのは、この第十、十一、十二句である。

施蟄存が杜甫のこの詩を下敷きにして作品を書いたことは、もともと明らかであり、わざわざ論じるまでもないが、その詩全体を見ることにより、「戯作花卿歌」の内容のうち、施蟄存が引用していない三句目以下の部分（崔光遠の指揮下で、段子璋の首をとった挿話など）も、作品に反映されていることが確認できる。

ちなみに杜甫が花卿を歌ったもうひとつの作品「贈花卿」は、近年中国で出版された唐詩の青少年向け解説書や唐詩鑑賞辞典の類にも取り上げられているが、そこにつけられた注をみると、花卿の本名はほぼ「花敬定」で統一されているようだ。施蟄存はこの作品の内容とその注に反映される花卿の名前を「将軍底頭」に反映させなかった。

贈花卿
錦城丝管日紛紛，
半入江風半入雲。
此曲只應天上有，

花卿に贈る
錦城の絲管日に紛々たり
半ば江風に入り半ば雲に入る
この曲只まさに天上にあるべくして

人間能得幾回聞?　人間にて能く幾回聞くを得ん

錦城は成都のこと。成都の管弦楽の素晴らしさを歌うこの七言絶句は、楊慎「升庵詩話」によると、「花卿在蜀頗僭用天子礼楽，子美作此譏之，而意在言外，最得詩人之旨」、すなわち、花卿が四川で、天子の礼楽を僭称し、天子を無視するような態度をとっていたことを杜甫が諷刺したのだが、その意図は言外にあり、それ（朝廷を諷刺すること?）が最も詩人の言いたいことである、という風に説明されている(2)。

施蟄存の描いた花驚定は、そのような風流な人物ではない。少なくとも、「将軍底頭」という小説の中には、将軍が音楽を楽しんで日を暮らすというような挿話は登場してこない。

(2)『旧唐書』

さて杜甫の詩だけでは、その歴史的背景のすべてを読み取ることは明らかに困難である。施蟄存は歴史書も参照したに相違ない。

『旧唐書』列伝第六十一に次のような記述が見える。

及段子璋反，東川節度使李奐敗走，投光遠，率将花驚定等討平之。将士肆其剽劫，婦女有金銀臂釧，兵士皆断其腕以取之，乱殺数千人，光遠不能禁。粛宗遣監軍官使按其罪，光遠憂恚成疾，上元二年十月卒。

段子璋の反乱によって、東川節度使李奐は敗走し、崔光遠に助けを求めた。光遠は、花驚定らを率いて段子璋を平定した。しかし崔配下の将兵は略奪をほしいままにし、金銀の腕輪を身につけた女性がいたら、その腕を切って財宝を奪い、数千人を殺戮した。崔はそれを禁ずることができなかった。皇帝粛宗はそれを罪に問い、気に病んで崔は病死した、というのである。

このことから『旧唐書』の記述が、「将軍底頭」の吐蕃征伐に出発する将軍の心理を描いた部分で忠実に取り込まれたのだとわかる。施蟄存が花将軍の名前を『旧唐書』によって、花驚定としていることも、そのことと関係があるであろう。ただ『旧唐書』の記述を細かく読めば、『旧唐書』は略奪を働いたのは「将士」であると書いており、「将」は当然花驚定を指すわけで、花将軍も略奪を働いた張本人と認識されているわけである。施蟄存は、花将軍が部下の略奪に心を痛める設定にしているので、この設定は『旧唐書』とは一致しない。この部分の花将軍の設定には、崔光遠のイメージが影を落としていると考えられる。

『旧唐書』は花卿が段子璋の「髑髏」を崔光遠に投げ渡した挿話には触れていない。施蟄存の小説の挿話は「戯作花卿歌」に拠ったのであろう。吐蕃の将軍の首を持って帰ってくる花将軍のイメージはここから来たものであろう。ただ将軍自身も首をなくしたのだということは、『旧唐書』の記述には見えず、また「戯作花卿歌」にも見えない。

また『旧唐書』の記述はあくまで段子璋の乱の平定に関するものであって、吐蕃征伐に関するものではない。『旧唐書』には花卿が吐番と戦ったという記述は見当たらない。

ただ「崔光遠」列伝に続く「高適」列伝において、次のような記述がある。

後梓州副使段子璋反，以兵攻東川節度使李奐，適率州兵従西川節度使崔光遠攻子璋，斬之。西川牙将花驚定者，恃勇，既誅子璋，大掠東蜀。天子怒光遠不能戢軍，乃罷之，以適代光遠為成都尹、剣南西川節度使。代宗即位，吐蕃陥隴右，漸逼京畿。適練兵于蜀，臨吐蕃南境以牽制之，師出無功，而松、維等州尋為蕃兵所陥。

花鶩定が段子璋を誅伐したのち東蜀を略奪したという記述に続いて、崔光遠に代って成都尹、剣南西川節度使に任命されていた高適が、吐蕃の侵入に対して、兵を訓練して牽制しようとしたが、戦勝をあげられず、松州、維州などが吐蕃の手に落ちた、という内容が述べられている。花鶩定が高適の配下にあって、吐蕃との戦いで死んだという可能性も棄てられないが、『旧唐書』には明記されてはいない。施蟄存は、この高適の兵の訓練を事実上花鶩定のエピソードとして用い、花鶩定が吐蕃と戦ったように描いたのだ、と考えられる。

(3) 幾つかの疑問

さてこのように施蟄存が拠ったと思われる文献を検討してみると、幾つかの疑問がこれらの文献では解決されない。

たとえば花将軍が吐蕃と漢人の両方の血を引く設定になっているのは何故なのか。首をなくしても死なないで戻ってくる挿話、切り落とされた首が笑ったり、涙を流したりする挿話はどこからやってくるのか。後者にはオスカーワイルドの「サロメ」の影響があるように思われる。実際に「サロメ」は、田漢や徐保炎によって、一九二三年と一九二七年に中国語に翻訳されており[3]、舞台にも掛けられていたようだ[4]。

花将軍の血統

花将軍の血統が果たしてチベット系吐蕃であったかどうか、史書の記述には明らかではない。これを考察する目下唯一の手がかりは、その姓すなわち苗字である。「花」という姓は『百家姓』にあり、もともと「華」姓と同じ流れを汲むものと考えられ、花卿がこの血統を引くのであれば、漢族ということになる。

ちなみに、歴史上の人物で、花という姓の人物はさほど多くない。花鷩定を除けば、ディズニーのアニメにもなった花木蘭がおり（もっとも、木蘭の姓が花であったか、どうかは定かではなく、後代の臆説であるともいう）、『水滸伝』の人物に花栄がおり、明代にも花という姓の将軍がいるという。興味深いのは、これらがいずれも将軍ないし軍や戦争に関係する人物であることだが、なぜそうなるのかは、目下考察の材料を持たない。

既に見たように、施蟄存が『旧唐書』の記述を敷衍して、花鷩定が吐蕃の侵入に対して戦いを挑み、敗れて死んだ、という独自の設定を採用したのであれば、花鷩定が吐蕃との戦いに駆り立てられていく心理的な動機を設定する必要があり、又そこに花鷩定の内面的葛藤を描くには、彼が漢族とチベット族との混血であったという設定にするのが、都合がよかったのであろうと思われるが、施蟄存がそのような設定を思いついた原因については、未だ材料が見つかっていない。

ただこれに関して戸崎哲彦は、憶測に過ぎないがと断わりつつも、「『花』姓が漢民族の姓に稀であること、花鷩定の出身が少数民族の多い地であったこと、また安禄山のように唐代の武将は異民族から採用されることが多かったことなどからみて、花鷩定は漢化された少数民族の出身ではなかったかと想像される(5)」と書いている。施蟄存も同様の想像を働かせて、花将軍を漢族と吐蕃の混血として設定したのだろうか？

首無しのモチーフ

袁珂編『中国神話伝説辞典』は、「花卿冢」という項目を設けて、次のように述べている。

明曹学佺《蜀中名胜记》卷十二：〝《渔隐丛话》云：〞花卿冢在丹棱之东馆镇，至今犹显英气，血食其乡[6]〞按花钦字敬定，本关中人，唐至德间，从崔光远入蜀讨段子璋有功。后平寇乱，单骑鏖战丧其元，犹操戈至东馆镇下马沃盥，适遇浣纱女谓曰：〞无头何以盥为！〞遂自僵仆。居民葬之溪上，庙祀不绝。〞杜甫《戏作花卿歌》诗：〝成都猛将有花卿，学语小儿知姓名。〞

明の曹学佺が著した『蜀中名勝記』第十二巻によれば、「『漁隠叢話』に云う。『花卿の塚は、丹棱の東館鎮にあって、今なお英気を顕し、その土地に祭られている』。按ずるに花欽字は敬定、もと関中の人、唐の至徳年間に崔光遠に従って蜀に入り、段子璋討伐で手柄をたてた。その後、寇乱を平定し、単騎で鏖戦し、首をなくしたが、なおも戈を操って、東館鎮に至り、馬をおりて、（顔を）洗おうとした。たまたま洗濯女に出会って、『首もないのに何を洗うの』と言われて、倒れて死んだ。住民が川のほとりに葬ったが、供え物が絶えない。」（以下略）

この資料から、すでに史書にない幾つかの事柄が明らかになる。すなわち花卿の本名は花欽で字が敬定であったということ（『旧唐書』は「驚定」とする。施蟄存は『旧唐書』の方を採用している）、段子璋討伐のあと、「寇乱」

を平定した際に、首をなくした花卿が東館鎮付近の川辺に戻り、顔あるいは体を洗おうとして、洗濯女にからかわれ、そこで死んだ、ということ。土地の住民が彼を川辺に葬り、供え物が絶えなかった、ということ。

施蟄存の「将軍底頭」の末尾の将軍が首を失っても馬に乗って戻ったことを描く部分には、文献的な裏づけがあることが、これで確認できた。しかし施蟄存が、果たしてこの『蜀中名勝記』によったのであるかどうか、は判断がつかない。花将軍の首なしの挿話を伝える文献はこれだけではないからである。

『明一統志』巻七一「眉州」「祀廟」に「花卿廟」と題する記述がある。その全文は以下の通りである。

在州城西東館鎮。卿唐花敬定也。本長安人。至徳間従崔光遠入蜀討段子璋有功、封嘉祥県公。後又平寇、単騎鏖戦、已喪其元、猶騎馬荷戈至鎮、下馬沃盥。浣紗女語曰、無頭何以盥為。遂僵仆、居民葬之溪上、歴代廟祀之、杜甫歌成都猛将有花卿、学語小児知姓名。

傍線部分は、花卿の出身が「長安」になっていることと、「廟祀不絶」が「歴代廟祀之」と変わっている点を除けば、『蜀中名勝記』とほぼ同文である。しかしながら、施蟄存が、『蜀中名勝記』独自の記述である「花欽」の名を採用しなかったことから言えば、『明一統志』を参照したと考えるのが妥当かもしれない。

(4) 花卿廟と花卿冢

実は『中国神話伝説辞典』の項目「花卿冢」の記述にはいくつか問題がある。細かい句読点の違いと若干の字句の異同もあるのだが、それについては触れないで、ここでは大きな問題だけとりあげる。

『蜀中名勝記』（重慶出版社一九八四年刊本　簡体字使用）第十二巻の花卿関連の部分は、このようになっている。全文を引用しておく。

《渔隐丛话》云：〃花卿冢，在丹棱之东馆镇，至今犹显英气，血食其乡〃按花钦，字敬定，本关中人，唐至德间，从崔光远入蜀，讨段子璋有功。后平寇乱，单骑鏖战。丧其元，犹操戈至东馆镇下马沃盥，适遇浣纱女谓曰：〃无头何盥以为！〃遂自僵仆。居民葬之溪上，庙祀不绝。宋封为忠应公。〃邵博云：〃州西有花将军庙，庙史以匣藏唐至德元年十月郑丞相诰云：花敬定将军也。〃〔〃〕谢皋羽《花卿冢行》云：〃湿云模糊埋秋空，雨青沙白丹棱东。莓苔阴阴草茸茸，云是花卿古来冢。花卿旧事人所知，花卿古冢知者谁？精灵未归白日西，庙鸦啄肉枝上啼。绵州柘黄魂正飞。〃（波線及び傍線青野）

つまり『蜀中名勝記』は、宋代の胡仔の著書『漁隠叢話』、同じく宋代の邵博の著書（『邵氏聞見後録』三十巻には該当する記述は見られず、邵博の父邵伯温の著書『邵氏聞見（前）録』に該当する記述がある）、謝皋羽の詩「花卿塚行」からの引用および何に依拠したかわからない独自の記述（波線部分、ただし内容的には『明一統志』とほぼ重複）の四部分からなっているのであるが、『中国神話伝説辞典』「花卿冢」の著者は、邵博、謝皋羽の部分は無視して、『漁隠叢話』と独自の記述だけを採用している。また独自の記述の最後の「宋封為忠応公」の記述は削除している。つまり上の傍線部分が無視されたわけである。邵博の記述は「花将軍廟」に関するもので、「冢」とは関係ないから取り上げなかったとしても、謝皋羽「花卿冢行」はまさに「冢」を詠んだ詩である。なぜ取り上げなかったのだろうか。また杜甫の「戯作花卿歌」をとりあげているが、施蟄存と同じく最初の二句のみであるのはなぜなのだろうか。

要するに、『中国神話伝説辞典』のこの項目はいったい「花卿」をとりあげているのか、それとも「冢」をとりあげているのか、わからない。どちらを調べようとするものにも、中途半端な情報しか提供できていない。

しかしながら、『蜀中名勝記』を調べることによって、新たな事実が明らかになる。特に花卿が「将軍」であったことは、この『蜀中名勝記』が引用する「邵博」（実は邵伯温）の記述で初めて確認されたことになる。『旧唐書』は、「率将花驚定等」としているだけで、「将軍」とは言っていない。邵伯温によれば、州西に花将軍廟があり、廟史（廟の管理者）が箱に所蔵していた唐至徳元年十月の「鄭丞相の告（誥）」に「花敬定は将軍である」とあったようである。[7] 施蟄存が花卿を将軍と設定したのは、『蜀中名勝記』か、邵伯温の記述か、あるいは、その邵伯温の記述する花将軍廟の「鄭丞相の告」そのもののいずれかに拠ったものである。

また「花卿冢行」から、謝皐羽の時代に花卿はよく知られた人物であったにもかかわらず、その「冢」の存在はあまり知られていなかった、ということがわかる。

しかし『蜀中名勝記』は、「花卿廟」と「花卿冢」の関係に言及していないため、これが同一のものであるのか、別のものであるのか、明らかではない。

(5) 花卿、吐蕃と戦う

『蜀中名勝記』の記述に基づいて邵博の『邵氏聞見後録』を調べたところ、該当する記述は見つからず、邵博の父親邵伯温の著作である『邵氏聞見（前）録』に該当する記述が見つかった。『蜀中名勝記』が邵博としているのは、実は邵伯温の誤記であった。『邵氏聞見録』では、該当箇所は次のようになっている。

州之西有花将軍廟、将軍英武見于杜子美之詩、廟史以匣藏、唐至徳元年十月鄭丞相告云花驚定将軍也、是歳

土蕃陥巂州、将軍与丞相豈同功者耶

この文献は『蜀中名勝記』に引用されている部分が確認できるだけではなく、もう一つの重要な点が述べられている。つまり「土蕃」＝「吐蕃」が至徳元（756）年に巂州を陥れたとき、将軍の功績は鄭丞相とは同じであろうはずがない（もっと大きい）と述べていることで、それは花卿が吐蕃との戦闘に関わったことを示す記述にほかならない。『邵氏聞見録』は更に、

然花将軍之名驚定唯得於此告也、或云将軍丹棱東館人、今東館廟貌猶盛、云廟史又出本朝乾徳三年二月二十六日偽蜀王孟昶偽蜀太子孟元喆以降入朝、舟過廟下、祭文二紙墨色如新、其窘急悲傷之詞、読之亦令人嘆息云。

と述べ、花卿の名が「敬定」ではなく「驚定」であったこと、出身地が「丹棱東館」であること、東館に「廟」があることを記している。また偽蜀王孟昶と偽蜀太子孟元喆が都に行く途中舟で廟の近くを通り、花将軍を祭る文を読んだという記述は、花将軍が当時名声の高い武将であったことをうかがわせると同時に、花将軍廟の位置が比較的知られていたことを示す。「廟」＝「冢」と考えると、謝皋羽「花卿冢行」の記す「花卿古冢知者誰」との間に矛盾が生じる。花卿は吐蕃との戦闘に参加したことは明らかになったが、その戦闘で死んだわけではないことが確認できる。

（6）謝皋羽「花卿冢行」

謝皋羽「花卿冢行」の全文は以下の通り。

山谷云、花卿家［冢］在丹陵之東舘鎮、至今猶有英氣、血食其鄉。溼雲模糊埋秋空、雨青沙白丹陵東、莓苔陰陰草茸茸、云是花卿古來冢、花卿舊事人所知、花卿古冢知者誰、精靈未歸白日西、廟鴉啄肉枝上啼、緜州柘黃魂正飛。

『蜀中名勝記』は「山谷云〜血食其鄉」という黄庭堅の引用を『漁隠叢話』からとったため、この部分を省き、残りを謝皋羽の文から引用した形をとっていることになるが、ここからは新しい情報は得られない。

(7)『苕溪漁隠叢話』

『苕溪漁隠叢話』前集巻十四・杜少陵九（宋・胡仔撰、郭紹虞主編、人民文学出版社一九六二年刊）は、次のように記述する。

苕溪漁隱曰：『戲作花卿歌云：成都猛將有花卿，學語小兒知姓名，用如快鶻風火生，見賊為多身始輕，綿州副使著柘黃，我卿掃除即日平。子璋髑髏血模糊，手提擲還崔大夫。李侯重有此節度，人道我卿絶世無。天子何不喚取守京都』細考此歌，想花卿當時在蜀中，雖有一時平賊之功，然驕恣不法，人甚苦之。故子美不欲顯言之，但云「人道我卿絶世無」，既稱絶世無，「天子何不喚取守京都」。語句含蓄，蓋可知矣。山谷云：「花卿冢（「冢」原作「家」，今據元本、徐鈔本、明鈔本更改。）在丹稜之東舘鎮，至今有英氣，血食其鄉。」』

引用された「戯作花卿歌」は十一句目「既稱絕世無」が抜け落ちており、後の部分でも、該当部分は引用のカッコからはずされている。『漁隠叢話』の校訂者は、苕溪漁隠すなわち胡仔が引用した「戯作花卿歌」に基づいて、「既稱絕世無」をカッコのそとに出したのであろう。しかし、もし「既稱絕世無」の抜けたのが苕溪漁隠の誤りであれば、「既稱絕世無」はカッコの中に入っているべきである。しかし今に伝わっている杜甫の「戯作花卿歌」のテクストが、間違っていて、胡仔が正しいのかも知れない。「東都」が「京都」となっていることも含めて、このあたりの考察は専門家に譲り、ここではこれ以上追究しない。

さて『蜀中名勝記』が『漁隠叢話』のものとして引用している「花卿冢」の所在を示す記述は、実は苕溪漁隠が山谷すなわち宋代の詩人黄庭堅の著書から引用したものであり、つまりは孫引きなのである。曹学佺が『漁隠叢話』を参照したのであれば、引用部分が山谷の引用であることに気づかない筈がない。『蜀中名勝記』が山谷に触れていないのは奇妙である。引用部分が、『漁隠叢話』のなかの山谷の部分だけであれば、なおさらである。曹学佺は『漁隠叢話』は参照できたが、山谷の原著を調べることができず、それで自分の拠った書物の名前のみを提示したのだ、とも考えられる。しかし黄庭堅の著書を調べられなかったというのもまたお粗末な話である。調べたが該当する記述を見つけられなかったということかも知れないが、真実はわからない。

(8) 黄庭堅 『山谷外集』巻九・書花卿歌後

さてここまで多くの文献に引用されてきた黄庭堅の記述は、『山谷外集』巻九に収められている「書花卿歌後」という短い文である。全文は以下の通り。

杜子美作花卿歌雄壮激昂讀之想見其人也。楊明叔為余言、花卿家在丹棱之東館鎮、至今有英気血食其郷云、涪翁題。

黄庭堅は杜甫の「戯作花卿歌」を読んで、その勇壮な描きぶりから、その人物にあってみたいと思うほどだった。楊明叔という人物が「花卿の家は丹棱の東館鎮にあって、今に至るも英気があり、その郷では血食する（子孫が祀っている）のだ」と教えてくれた、というのである。「花卿冢」というのは「花卿冢」の誤記と考えられていて、それで問題ないと思うが、「花卿冢」が東館鎮にある、という情報に関しては、黄庭堅自身ではなく、黄庭堅の記述する楊明叔の発言が源であった。

以上の資料を総合すれば、「花卿廟」と「花卿冢」とはいずれも東館鎮にあったことになり、単純に考えれば「花卿廟」のなかに「花卿冢」が存在した、と推定されるのだが、それを確認するには現地取材しかないことになる。

3. 現地調査

(1) 調査の経緯

文献による追跡が壁にぶつかったため、これまでに目にした文献をもとにしつつ現地調査を行うことにし、二〇〇五年九月上旬に現地入りした。現地とは、この花卿の物語の舞台となった中国四川省成都から楽山方面に向かう途中にある丹棱県である。現地調査を思い立ったのは、インターネットの検索で、次のような記事を見つけたのがきっかけである。

竹林寺，位于丹棱县南大門重鎮楊場鎮，（中略）在竹林寺景区，你可以（中略）聆聴当地老農講述唐代広元将軍花敬定血戦鉄桶山、竹林寺毛仙女、望妻碑伝説故事。

この記事を見て、丹棱県楊場鎮にあるという竹林寺に行けば、花将軍の伝説を語る農民に会えるかも知れない、と考えた。残念ながら「花敬定血戦鉄桶山」を語る農民には会えなかったが、竹林寺方丈釈常遠が「花敬定血戦鉄桶山」の話を記憶していて、知る限りのことを話してくれた。釈常遠住職の話から、「花敬定血戦鉄桶山」について、花卿の最後の戦いの舞台が竹林寺裏手の鉄桶山であったこと、花卿はその戦いで首を失いながら、白馬にまたがって、東館鎮まで戻ったこと、その河辺で顔を洗おうとして、洗濯女に首のないことを指摘され、倒れて死んだこと、その「墓」が東館鎮にあること、花卿の白馬がそのまま走って逃げ、力尽きて倒れたのが現在の白馬鎮の名前の由来である、などの挿話を確認した。しかし住職はそれ以上詳しいことは知らないので、丹棱県人民政府の万玉忠秘書長を訪ねるように、と紹介状を書いてくれた。万秘書長は、以前県の文化関係の担当をしており、四川大学のある教授と竹林寺まで、花将軍の伝説の調査にも来たことがあるという。

丹棱県に戻り、人民政府の万玉忠秘書長を訪ね、『丹棱風景名勝與文化』（丹棱県文化旅遊局編一九九六年十二月発行）という非売本を頂戴した。著者は万玉忠氏本人であった。この本には「唐代広遠将軍花敬定的故事」という項目があって、ここから新しい「史実」を見つけ出すことができたが、その内容については後で触れる。

人民政府を後にした私たち一行は、丹棱県から高速道路を戻って、「東館鎮」と「白馬鎮」を訪ねた。

「東館鎮」で何かの店先に集まっていた人に「花卿廟」はどこか、と尋ね、一人の老人の案内で、「東館倉庫」という建物の敷地に入って行き、その一番奥の所に案内された。実はこの倉庫の敷地はもともと全体が廟すなわち花卿廟であったのだという。それを国家が倉庫にするために廟を解体し、廟の中にあった花卿のお墓も解体されたようである。ここが「花卿冢」だったのか、と聞くと、ここが花卿の葬られていたところ、つまり墓である、もともとは何重かの塔がたっており、それから石碑があって、それには碑文もきざまれていたとのことだった。

廟の解体は一九五〇年代の話だそうである。その石碑はもはやどうなったのかわからない、というが、碑文については、廟を解体する際に書き写して、この老人が保管しているが、すぐには探し出せない、とのことであった。

白馬鎮では高速道路の出口の料金所を出る手前のところに、馬の像を冠するモニュメントが見られた。モニュメントには、花敬定の鉄桶山の戦いから、花敬定の死に至る経過、およびその白馬がここまで逃げてきて死んだので、それにちなんで白馬鎮と名づけられたこと、などが記されており、「鎮」の観光事業の重要な一翼を担っているようであった。

（2）現地調査結果の考察

現地調査を通じて入手した情報は、一、竹林寺住職の口述、二、丹棱県万玉忠著『丹棱風景名勝與文化』、三、東館鎮の老人の証言、四、白馬鎮のモニュメント、である。

このうち、もっとも大きな発見は、東館鎮の老人の証言で、歴史文献類では、明らかでなかった花卿廟と花卿冢の関係とその現状が概ね明らかになったことである。しかし残念ながら碑文を確認できなかったので、花卿伝説の内容と碑文との関係を明らかにできなかったし、また「告」も発見できなかった。

竹林寺住職の口述内容は、基本的に『丹棱風景名勝與文化』および白馬鎮のモニュメントに書かれてある内容を出るものではなかった。

『丹棱風景名勝與文化』は一九九六年に出版され、白馬鎮のモニュメントは二〇〇二年に設置されていた。両者の内容は検討を要する。

・『丹棱風景名勝與文化』

本書で花卿に触れる箇所は二箇所ある。

竹林寺のある楊場鎮に関する章では、このように述べる。

上元二年（六七五年）七月、梓州（今の梓潼）刺史段子璋が反乱を起こし、剣南節度使、成都府尹崔光遠およびその武将花卿（字は敬定）の追討の下、段子璋の残存部隊が竹林寺裏手の鉄桶山に逃げ込み、天然の要害を盾に、頑強な抵抗を行った。花卿将軍は部隊を率いて鉄桶山のふもとから攻撃を行った。ある晩、花卿は部下を欺いて単騎鉄桶山の要塞に闖入し、敵と死闘を行った。この鉄桶山決戦の伝説は、今に至るも当地の庶民に語り継がれている。

おそらく当地の伝説に拠ると思われるこの記述から、鉄桶山の血戦に関する新しい視点が読み取れる。すなわち花卿が死んだのは、施蟄存が書いたような吐蕃との戦いにおいてではなく、段子璋討伐の後、その残存部隊との戦闘において命を落とした、という視点である。

万玉忠は同書の「唐代広遠将軍花敬定的故事」の章において、上記の視点をふまえつつ、次のように記述する。以下、この章の全文の訳である。

杜甫は「戯作花卿歌」に言う。「成都の猛将に花卿あり、学語の小児とて姓名を知る。用うれば快鶻の風火を生ずるが如く、賊の惟だ多きを見るに身始めて軽し」と。この唐代の大詩人が熱情をこめて、「学語の小児」ですら知っていると賛美している花卿は、丹棱竹林寺と切っても切れない縁をもっている。

竹林寺裏には、数百メートルほどの高さの、険しい絶壁に囲まれた峰があって、鉄桶の形に似ていることから、鉄桶山と呼ばれている。

唐代の上元二年（六七五年）四月、梓州（今の梓潼）刺史段子璋が反乱を起こし、東川節度使を襲撃、綿州（今の綿陽）で梁王を自称した。五月、剣南節度使、成都府尹崔光遠は、武将の花卿（字は敬定）を率いて綿州へと乱の平定に赴いた。数日の戦闘を経て、綿州を取り戻し、賊将段子璋を生け捕りにしたのち、公衆の面前で斬首した。七月、段子璋の残存部隊は結集して、丹棱竹林寺裏の鉄桶山を奪い、その天然の要害によって頑強な抵抗を行った。

花卿は命を受け、この残留部隊の討伐を続けた。鉄桶山のふもとに駆けつけたときには、兵隊は疲弊し、食料も不足していたため、続けざまに攻撃をかけても、勝利を収めることができなかった。花卿はあせりと怒りにかられ、ある晩、部下を欺いて、単騎鉄桶山の要塞に闖入した。襲撃をかけて、敵陣を乱す考えであったが、反乱軍の防備は固く、血戦の末、花卿は反乱軍に殺害された。その死について『蜀中名勝記』に記述がある。「その頭を失ったが、なおも矛を操り、東館鎮に至り、馬を下りて、顔を洗おうとした。たまたま洗濯女がきて、頭もないのに何を洗うの、と言われ、倒れて死んだ。郡民が之を渓上に葬り、廟祀が絶えなかった」と。東館鎮は丹棱の東にあり、今は眉山に属している。歴史上、花卿冢、すなわち「唐広遠将軍花敬定之墓」は、ずっと当地の一大名所であった。

花将軍の鉄桶山血戦の伝説は、鉄桶山を旅する機会があれば、当地の住民がもっと素晴らしく豊かな物語を聞かせてくれるであろう。

竹林寺の住職の話によると、万玉忠は丹棱県の文化教育を担当した当時、本書の執筆のため、四川大学の教授とともに竹林寺を訪れたということである。おそらく文中に出てくる「戯作花卿歌」や『蜀中名勝記』を手がかりに、東館鎮、白馬鎮、楊場鎮などを訪れ、各地の住民から伝説の聞き取りを行ったものと思われる。その結果書かれたのが、この文章で、これは目下、二十世紀末の四川省丹棱県における花卿に関する、おそらく唯一の著作なのである。私が現地調査を思い立つきっかけになった四川省青年旅行社のホームページも、この本の記述にもとづいて作られた可能性が高い。

この文章には注目すべき記述がいくつかある。

そのひとつは既に触れた花卿が段子璋の残党討伐の中で戦死したことを示す鉄桶山血戦の物語で、施蟄存の小説によって花卿が吐蕃との戦いで死んだものと思い込んでいた我々の認識に新たな視角を提供するものであった。

もう一つは「花卿冢」が「唐広遠将軍花敬定之墓」と同一のものであり、「ずっと当地の一大名所であった」という記述で、それは著者万玉忠が東館鎮に赴き、花卿冢の調査をしたこと、その結果、(すでに解体されていた)冢そのものを見ることはなかったが、それが花卿の墓であり、その石碑に「唐広遠将軍花敬定之墓」の文字が彫られていたことを、東館鎮の住民から聞き出した、ということを物語るものである。ただそこがもともとは「花卿廟」であり、その廟が解体され「東館倉庫」という政府の施設になったという事実、及び「ずっと当地の一大名所であった」「花卿冢」がすでに存在しないという事実に触れていないのは、奇妙なことと言わなければならない。この記述からは、「花卿廟」と「花卿冢」の関係は明らかにはならないのである。

この本でもう一点注目すべき点は、花卿の死について、首を失いながら、東館鎮まで戻ってきて、洗濯女の言葉で落命した、という重要なエピソードが、伝説によってではなく、『蜀中名勝記』に基づいて記述されていることである。このことは、首なしのエピソードが、伝説としては重視されていないことを示唆するように思われる。後で述べる白馬鎮のモニュメント「白馬彫像記」にもまた首なしのエピソードは見られない。

またこの本は花卿に触れたいずれの箇所も、花卿の騎馬が白馬であったこと、その白馬が花卿の死後、逃げていって死んだ場所が白馬鎮の由来となったこと、について触れていない。それどころか、この本のどこにも白馬鎮に触れる箇所がない。白馬鎮のモニュメントがこの本の出版に遅れること五年後の二〇〇二年に建てられたこととと関係があるかも知れないが、奇妙なことであるといわねばならない。

・白馬鎮のモニュメント（撮影：青野）

花鷲定か花敬定かの問題については、今回「告」を見つけられなかったことで、確認はできなかったので、墓に「唐廣遠将軍花敬定之墓」と彫られていたという万宝忠氏の記述を信じるしかないが、墓の建設時期も含めて、まだ態度保留するのが妥当だと考える。

丹棱方面から成都に戻る道すがら、眉山方面に向って車を走らせると高速道路から、馬が後足だけで立ち上がっている像が目に入る。これが高速道路の白馬鎮出口付近に建てられた石のモニュメントで、石の表面には、「白馬彫像記」と題する一文が彫られてある。

その全文は以下の通り。

眉山古称眉州，土肥物丰，地灵人杰，三苏父子，世人景仰。

白馬雕像記（撮影：青野）

眉山城西白马镇，地处浅丘，历史悠久，遐迩闻名，相传唐代，剑南节度使花卿，赴丹棱巡视，遭遇叛乱，寡不敌众，身负重伤，垂危之际，独骑白马，突出重围，堕马身亡，白马伫立，泪水连连，俯首舐干将军身上的血，仰天长鸣，狂奔至此，口吐白沫，腹地气绝。〝白马伏〟由此得名，后设驿站改名白马铺。

岁月荏苒，悠悠千载，白马故事，激荡人心，改革开放，白马人奋起直追，摆脱贫困，步入小康。今日白马，脐橙之乡，水果长廊，玉液飘香。然白马情结未了，政府塑白马于广场，壬午马年落成，偿民众之夙愿，诚善举焉。

骏马奋蹄欲飞，使人联想遐思，一马当先，万马奔腾。白马繁荣兴盛，定与日俱增也。

白马镇人民政府

二〇〇二年一月十九日

宋明刚　撰文

この太字の部分が花卿とその白馬の物語である。「言い伝えによると、唐代剣南節度使の花卿は丹棱に巡視に行き、反乱に遭遇、多勢に無勢、重傷をおって死ぬまぎわ、一人白馬にまたがり、包囲を突破したが、落馬して死んだ。白馬は立ちどまり、涙にくれ、将軍の体の血をなめて乾かし、天に向っていななくと、狂奔してこの地に至り、白い泡を吹いて、地に倒れ息絶えた。〈白馬伏〉の名はそこから来るもので、後にこの宿駅が設けられて〈白馬鋪〉と改名された」、という内容である。

花卿が剣南節度使になっているなど、史実に忠実とはいえないばかりか、反乱が誰の反乱であったかも押さえていない。花卿が何処で死んだのかも記されておらず、歴史記述としては杜撰であると言わなければならないが、花卿の騎馬が白馬であったこと、白馬が将軍の遺体の血を舐めたこと、など史書に見えない、独自のエピソードを含んでおり、この付近における花卿伝説の一つのバリエーションとして、それなりに興味深い。

しかし施蟄存の小説という点から見ると、この記述は小説の世界からあまりにもかけ離れたものであり、また施蟄存が民国期に、当地に伝わるこのような伝説を小説の執筆の際に参照した可能性は高くないと思われる。施蟄存の作品における花卿の乗馬は大宛馬と設定されており、それは歴史上汗血馬として知られる中央アジア産の名馬である。矛盾しているとは言えないが、影響関係は見出しにくい。

4. まとめ

現地調査で明らかになった、花卿伝説の最も重要なポイントは、花卿が段子璋反乱の鎮圧後、その残党と鉄桶山で戦って戦死した、という点にある。それは、唐代から明代にかけて記されてきた花卿に関するどの記述とも異なる新説であり、花卿が段子璋討伐後、略奪をほしいままにしたが、吐蕃の侵入に際しては戦いを挑んで破れ、段子障の残党討伐の鉄桶山の戦いで、首を失ったまま、東館鎮に戻った花卿がそれを女に指摘されて倒れて死んだ、という超現実的な物語が、民衆の中に語りつがれていくなかで、合理化されて超現実性を失った結果であるように思われる。施蟄存が作品に描こうとしたのは、そのような合理的解釈ではなく、超現実的なエピソードを通じて、一つの強い心的エネルギーの表れる様子を描き出したかったのであろうから、もし施蟄存が今も生きて東館鎮や竹林寺に調査に行ったならば、大いに失望したに相違ない。

結局、施蟄存は『蜀中名勝記』あるいは『明一統志』にある、首を失った花卿が馬に乗って東館鎮に戻り、女の言葉によって倒れて死んだ、という挿話を膨らませ、『旧唐書』や「戯作花卿歌」を参照しながら、崔光遠や高適の挿話までも取り込んで、花卿の人物像を造形し、歴史小説「将軍底頭」を書いたのであった。

それにしても、「花卿廟」「花卿冢」が解体されてしまった今、倉庫の敷地の片隅に今も眠ると思われる、花卿の遺骨の発掘を行うことなくして、花卿の首無し伝説の虚実を明らかにすることは不可能なのであり、今後の研究にはそれを期待したいところであるが、それによっても、施蟄存の作品の創作過程が明らかになる、ということは考えにくいと言わなければならない。

注

（1）この章の文献資料に関する前半部分をほとんど書き上げた後で、戸崎哲彦：杜甫と花卿——杜詩「贈花卿」・「戯作花卿歌」の詩（『彦根論叢』第三一三号、第三一四号　一九九八年六月、八月）の存在がわかった。戸崎によれば、花卿を題材とするこの二篇の詩は、その解釈をめぐって杜甫研究において長く議論されてきたようで、戸崎論文は、花卿に関する文献的資料を駆使しており、本論の用いた資料とほぼ重なるが、戸崎論文の目的は、杜甫の詩の解釈を明らかにすることにあり、そのために花卿の歴史的実像を明らかにしようとしたもので、施蟄存の虚構意識をあきらかにしようとする本論とは目的が異なるため、戸崎論文に関する検討はここでは省略するが、本論を再構成するに当たって、資料の解釈の面で大いに参考にさせていただいた。

（2）前出戸崎論文は、「贈花卿」の「花卿」が花驚定ではなく、唐代の妓女を指すのだ、という解釈が存在したこと、花卿の時代の成都の音楽事情（安史の乱によって宮廷の楽師が成都に流れて来ていたなど）も紹介している。

（3）『民国時期総書目・外国文学』一九八七年四月

（4）瀬戸宏『中国演劇の二十世紀』東方書店　一九九九年四月　五〜五頁
（5）前出『彦根論叢』第三一三号及び三一四号
（6）「血食」は、生贄の血をもって先祖を祭る意味であるから、東館鎮が花将軍の出身地であることを暗示している。
（7）「告」とは、唐朝発行の「告身」で授官証明書の類ではないか、と上記戸崎論文は述べている。

第六章　施蟄存「阿襤公主」と郭沫若の「孔雀胆」

施蟄存が「孔雀胆」を『文藝月刊』に発表したのは、一九三一年のことである。[1]これは元朝末年の紅巾の乱を背景に、フビライによって滅ぼされた「後理国」の血を引く大理総管段功と梁王の娘の悲恋を描いた作品である。段功は、モンゴル系の梁王を助け紅巾軍を退けた功績により、雲南平章の地位を得、梁王の娘阿襤を妻とするが、梁王の宰相の讒言と計略によって、謀反の疑いをかけられ暗殺される。夫の復讐のため宰相の毒殺を計画した阿襤は、それを見破られ、宰相の手で「孔雀胆」の毒を呑まされる。『新元史・列女伝』に見える「阿襤公主伝」および『南詔野史』などをもとに、父親や民族の利害と夫への愛の矛盾・衝突という視点から、梁王の娘の心理を描いた歴史小説である。この作品はその後「阿襤公主」と改題され、施蟄存の歴史小説集『将軍底頭』（新中国書局一九三二年一月）に収められた。

それから十年後、郭沫若は劇本『孔雀胆』を書いて、この物語を芝居にした。しかし郭沫若は「『孔雀胆』故事補遺」で次のように述べている。

私が脚本を書上げてから、ある友人が私に教えてくれた。施蟄存にもこの物語を描いた小説があり、『将軍的頭』に収められていると。私はこの小説がとても読みたかった。そこに何か新しい資料があるかどうか知りたかったのである。重慶ではこの本を探しあてられなかったが、成都の友人の洪鐘先生が最近買って私に送ってよこした。すると確かにこのなかに「阿襤公主」という小説が見つかった。

この小説は、読んでみて積極的な面では私にはまったく役に立つものがなかった。しかし消極的な面では、私に探し出せなかったものは、他人にも探し出せないのだということを教えてくれた。「阿襤公主」の主題と人物構成は私の作品とはまったく異なっている。対極に位置すると言ってもいいほどだ。作者は梁王に讒言した人物を特定できなかったらしく、対立する側の役を驢児と達的（「梁王伝」に基づいて二人に分けている）に演じさせている。驢児の顔立ちを醜く描きロバのようだと言っているが、驢児は（モンゴル語の）音訳にすぎず、文字から意味を汲み取るのはよくない。

作者は楊升庵の『求載記』あるいは『南詔野史』を読んだものらしく、段功の死を至正二十六年七月とし、明二を打ち破ってから三年目に設定している。また段功の正妻高氏が健在で、段功が昆明と大理の間を往来し、女色に溺れて民族の怨みを忘れ、落命にいたる様子が描かれている。[2]……

要するに郭沫若は、『孔雀胆』の執筆に当たって、施蟄存の小説を参考にしなかったし、戯曲が書きあがってから、施蟄存の小説を入手して読んだが、新しい資料は得られなかった、と言っているのである。そればかりか、施蟄存の拠った資料を推定して、小説の内容の矛盾を突くような指摘をして、批判まで加えているのである。

施蟄存はこれに対し、一九九〇年に台湾作家鄭明娳と林燿徳のインタビューに答えて次のように述べている。

私の「阿襤公主」が発表された後、郭沫若が『孔雀胆』という芝居を書いて、その序文に、この物語が私によってすでに小説化されていたことを知らなかった、と書いています。しかし私の見たところ、彼の脚本に使われているいくつかの資料は、私の創作から持って行ったもので、文献資料に基づくものではない、と思います。けれども彼は脚本を書いたとき、私の小説を読んでいなかったと必死で表明しています。[3]

果たして施蟄存と郭沫若の発言の食い違いは何に起因し、何を意味するものなのであろうか。本章はこの辺りの事情を明らかにしたい。

一、施蟄存「阿襤公主」の構成、材源および脚色

施蟄存の「阿襤公主」は全六章立ての構成である。各章の内容を要約すれば次の通りである。①段功が大理から梁王の居城善闡に戻る。段功が善闡を離れ、高夫人の待つ大理に戻った理由として、高夫人の心情を描いた歌とそれを歌う部下との対話が設定されている。②梁王の宰相驢児と達的の対立、驢児が梁王に段功のことを讒言。③梁王による段功の帰還歓迎の宴。驢児が段功を挑発し、反モンゴル的な言葉を言わせる。梁王は仲裁。④段功と阿襤公主の会話。公主、梁王から孔雀胆を賜り段功を毒殺するよう命じられたことを告白、段功とともに善闡を逃れ大理に行くことを望む。段功とりあわず。⑤通済橋付近で段功暗殺される。⑥公主、段功の死を知り、復讐を企てるが、失敗。

「阿襤公主」の材源について、施蟄存自身は具体的な論及をしていないが、「阿襤公主」が『新元史・列女伝』(厳密に言えば、「新元史　巻之二百四十五　列伝第二百四十二　列女中　梁王女阿襤公主　女僧奴」の記述を指す)によっていることは、すでに応国靖によって、指摘されている。[4] 段功が梁王を助け、紅巾の一派明玉珍を退けて、梁王の娘を妻とするが、段を疑った梁王は、娘の阿襤公主に段功の毒殺を命じ、阿襤公主はその計画を段にもらすにもかかわらず、段は取り合わず暗殺される、という話の枠組みは確かに『新元史』のものである。しかし夫の死を知って彼女が詠んだ歌は、『新元史』のものと施蟄存「阿襤公主」のものとでは、「吾」が「我」になって

いるなど、数カ所に異同が見られる。転記ミスと思われるもの、原書の誤りを訂正したものなど、その異同の性質は様々であるが、ここでは考察を省略する。

郭沫若も触れているように、「阿檻公主」には、『新元史』に登場しない、段功の正妻高夫人や段氏の家臣楊淵海の名が見え、また大理で夫段功の帰りを待つ高夫人の心情を描いた歌が取られている点から見て、施蟄存が『南詔野史』または『求載記』を用いていることは間違いないであろう。

阿檻公主の死については、『新元史』は死因に触れず、ただ有名な「吾家住在鴈門深、…」の歌を詠んだのち「竟死」つまり「とうとう死んでしまった」としているだけである。『南詔野史』は阿襤公主が絶食をもって殉死したとするが、施蟄存は絶食に触れるだけで、殉死という解釈も採らず、段功殺害の下手人の大臣驢兒に復讐しようとして、逆に「孔雀胆（緑青）」の毒を呑まされる、という結末にしている。これは施蟄存独自の脚色である。

郭沫若も触れていることで、もう一つ大事な点は、『新元史』にはもう一箇所この物語に関連する記述がある、ということである。所謂「梁王伝」（新元史　巻一百十四　列伝第十一　忽哥赤　也先帖木兒　把匝瓦刺《ママママ》爾密）である。郭沫若は、施蟄存が梁王の臣下である大臣を左丞達的と右丞驢兒の二人に分けたのを、この「梁王伝」に基づいてのこと、と判断したのであるが、実は梁王把匝刺瓦爾密の伝は『明史』にも見え、こちらも「左丞達的右丞驢兒」という書き方をしており、施蟄存が『新元史・梁王伝』に寄ったから、根拠が薄弱だとする理由にはならない。

段功暗殺の経過について、『新元史・列女伝』は、「陰令番将格殺之」とし、『新元史・梁王伝』は、「以疑忌酖殺之」としているが、『明史・把匝刺瓦爾密伝』は「以疑殺之」とする。鴆《ちん》鳥の毒で殺す『新元史・梁王伝』以外には、殺害方法は触れられていない。施蟄存の作品では、「刺」殺したことになっているが、「番兵」を用いている点では、『新元史・列女伝』に近い。

ただ『新元史・梁王伝』には、施蟄存がこれを用いたことを立証する決定的な記述がある。それは梁王の娘の名前を「阿襤公主」としていることである。『新元史・列女伝』、『南詔野史』等は「阿襤公主」とし、郭沫若は活字の関係であろうが、コロモヘンを省略して「阿蓋公主」としている。更に応国靖がこの作品を『中国現代作家歴史小説選』に収録した際に編末に「阿襤公主：据《新元史》、《列女伝》載，梁王之女名阿蓋公主」という余り正確とは言えない注を付して、「阿襤」が誤りであるかのような記述をしている。しかし施蟄存が一貫して、「阿襤公主」を使ってきたのは、『新元史・梁王伝』のこの表記に根拠があったのである。郭沫若は（そして応国靖も）『新元史・梁王伝』に記された「阿襤公主」の「襤」を誤記と見なしたのであろうが、施蟄存がそれを採用している限り、「新しい資料」を見つけるために読んだ施蟄存の作品が、この名前を採用したことは、郭沫若にとっては「新しい史実」の可能性があったわけで、そうだとすれば、その理由についての考察はあってもよかったと思われる。阿襤のコロモヘンにこだわって、わざわざコロモヘンをとって表記することを注記している郭沫若が施蟄存のこの命名に違和感を感じていないようでないことは、きわめて不審に思われる。

二、郭沫若『孔雀胆』の構成、材源及び脚色

郭沫若は「秋で涼しくなったので、五日半の時間を費やして、四幕六場の悲劇『孔雀胆』を書き上げた」（「『孔雀胆』的故事」）と書いている。一九四二年のことである。また「『孔雀胆』後記」では、「『孔雀胆』は書くのに五日半しかかからなかったが、改作にほとんど二十日かかった」とも述べている。恐らく長い間暖めてきた題材を、一気に書き上げたものと思われるが、書き上げたのち、更に友人に読んで聞かせ、意見をきき、新たな

資料を紹介してもらったりしている。郭沫若の力の入れようが窺えるエピソードである。

全四幕の構成は以下の通り。

第一幕　通済橋畔労軍　明玉珍軍を撃退した段功に、梁王は雲南平章の職と娘阿蓋との婚姻を許す。
第二幕　梁王宮之後苑　丞相車力特穆爾と王妃忽的斤の砒素による段功暗殺計画。王子穆哥の死。梁王、阿蓋に孔雀胆で段功を毒殺するよう命ずる。
第三幕　段平章之居室
一場　楊淵海及び阿黎と梁王の大臣たちに対する対処法を段功に計る。
二場　阿蓋、段功に梁王の命令を打ち明け、身の危険を訴える。車力特穆爾、阿蓋の首尾を見届けに来る。結果を見て段功を東寺の法事に誘う。
第四幕　通済橋前行刺
一場　段功刺殺される。阿蓋錯乱。
二場　車力特穆爾、阿蓋を我が物にするためやってくる。阿蓋、孔雀胆を呑み自殺。

郭沫若は作品を書き上げてから、さらに何度も書きなおしており、その経過を文章に残している。その大部分は、人物設定、時代考証に類するものであるが、郭沫若が『新元史』『明史』『南詔野史』『大理府史』など入手可能な限りの文献を調査し、また雲南省の事情に詳しい友人に調査を依頼したり、教えを乞うなど、非常に力を入れていた様子が見える。

ここではそれら総てに触れている余裕はない。郭沫若の『孔雀胆』の特徴と言える脚色についてだけ、触れておくことにする。

まず人物であるが、梁王の後妻忽的斤、王子穆哥、丞相車力特穆爾、侍医鉄知院和尚、建昌阿黎、羌奴、段宝、施継宗、施継秀、観音保、驢兒達徳、矢拉、蘇成など、施蟄存の「阿襤公主」には登場しない人物を多く登場させている。このうち、段功の娘羌奴（僧奴）と息子の段宝は『新元史』に出てくるが、それ以外は他の資料によっている。ただ郭沫若は、驢兒達徳については、おそらく『明史』を参照しなかったのであろう、『新元史』の右丞、左丞二人に分ける書き方は誤りで、実は驢兒達徳で一人の人物なのだと主張している。段功の最初の妻高夫人は、この作品では既に死んでいるという設定になっている。

細かい点について言えば、梁王の名「把匝剌瓦爾密」を、郭沫若は一貫して、「巴匝拉瓦爾密」と書き、作品の後書きなどの考察における『新元史』や『明史』からの引用でも「巴匝拉瓦爾密」を用いている。実際にはいずれも「把匝剌瓦爾密」とすべきであるが、なぜ郭沫若がそうしたのか、理由はわからない。また梁王の娘については、活字の都合であろう、「阿蓋」とコロモヘンをつけないで表記している。（すでに述べたように『新元史』は文字が一貫していなくて、シメスヘンの時もあり、「阿襤」の時もある。『明史』では彼女の名前は示されず、「王以女妻大理酋段得功」と記されるのみである。）要するに文字の扱いはあまり厳密ではない。

三、「阿襤公主」と『孔雀胆』

さて最初に戻って、施蟄存の「彼の脚本に使われているいくつかの資料は、私の創作から持って行ったもので、文献資料に基づくものではない」という発言について考えてみよう。

上の考察に基づいて両作品を比較すると、確かにいくつかの共通点が指摘できるように思う。

まず作品の構成である。六章だての小説と四幕六場の戯曲という場面設定の一致である。そして「段功の登場」→「梁王側の悪巧み」→「毒殺の計画」→「公主の諫言」→「段功の死」→「大臣の公主獲得失敗」という展開も、細かな差異はあるけれども、おおむね共通している。

しかし何よりも重要な点は、段功の死が「刺殺」になっていることである。既に見たように、歴史文献は『新元史・梁王伝』が毒殺であったのを除くと、それ以外はすべて殺害の方法を述べていなかった。単なる偶然の一致とも考えられるが、それにしても「刺殺」にしているのが、この両作品だけであるのは奇妙ではあるまいか。

それから公主の死に方が共通している。強制的に呑まされるか、自分からすすんで呑むかの違いはあるが、両作品とも「孔雀胆」の毒を呑んで死ぬ設定である。すでに見たように、史書で公主の死因に触れている文献は、管見のかぎり、わずかに『南詔野史』が絶食によって殉死したとするのみである。

最後に作品の題名である。周知のように施蟄存の「阿濫公主」が、最初に雑誌に発表されたときの題名は「孔雀胆」であった。施蟄存が何故これを単行本に収録する際に「阿濫公主」と改題したのかは不明であるが、郭沫若が友人に教えられて読んだのは単行本であったから、恐らく施蟄存の小説の原題が「孔雀胆」であったことは知らなかったであろう。が、逆にいえば、郭沫若が施蟄存の「孔雀胆」を雑誌で読んでいたにもかかわらず、10年が経過しているので、そのことを忘れていて、送られてきた小説の題名が「阿濫公主」であったので、かつて読んだ小説だと気付かず、安心して『孔雀胆』という題名にした、ということは考えられないだろうか。

いずれにしても、「文献資料に基づくものではない」共通点は確かに存在する。ただそれは共通点であるだけで、それらが実際に施蟄存の小説から取ったものかどうかを証明することは困難であるし、それを証明する必要もない。ここでは、施蟄存の『孔雀胆』に関する発言が根拠のないものではないことを確認できればよい。

四、結び：施蟄存と郭沫若

さて再び台湾作家のインタビューに答えた施蟄存の発言にもどるが、実はあの発言は脈絡から外れた奇妙な発言なのである。前後も含めて引用してみると、

鄭：あなたの魔術的手法は何からヒントを得たのでしょうか。
施：それは私自身のインスピレーションです。
林：ラテンアメリカよりずっと早いですね。
施：私の「阿檻公主」が発表された後、（中略）必死で表明しています。
林：あなたは小説を書いていた当時すでに意識の流れを超越していたわけですが、あなたがつかんでいたのは、一般の写実主義の外在的現実ではなく、客観的な内在現実及び現実の変形を処理されたのですね。
施：私はinside reality（内的現実）という言葉を造語しました。(5)

つまり施蟄存の「私の…必死で表明しています」の部分をとばすと話の脈絡はうまくつながるけれども、その部分が挟まることで、対話の流れが悪くなってしまっている。これは施蟄存の頭のなかで、『将軍底頭』の魔術的手法から歴史小説「阿檻公主」が連想され、この作品と郭沫若の『孔雀胆』の問題について発言したい、という欲求が生まれ、そして実際に口をついて出たためである、と思われる。しかし、林はそれを無視するかのようにマイペースで質問を続け、施蟄存は気をとりなおし、林のペースに合わせて質問への回答を続けたわけである。

これはとても興味深い出来事で、心理分析に馴染んだ者には、まるで「抑圧していた無意識がある連想をきっかけに意識の表面に上った」とでも解釈したくなるようなエピソードなのである。施蟄存が言うまい、言うまいと思いつづけてきた事が、ふと口をついて出てしまったのではないだろうか。

言うまいと押さえつけていた事とは、とりも直さず、郭沫若という作家に対する施蟄存の個人的感情である。施蟄存はいくつかの回想的文献で郭沫若に触れている。それはいずれも、余り楽しいものではなく、施蟄存にとって苦々しい体験なのであった。

たとえば、「我的創作生活之歴程」(6)に紹介している郭沫若に関するエピソードは、まだ大学の文学青年だった施蟄存が、創造社の雑誌に投稿をしたところ、郭沫若がその原稿をもったまま日本に行ってしまい、彼の原稿は行方不明になってしまった、というものである。

「現代雑憶」では、施蟄存はわざわざ「郭沫若的《争座位帖》」（郭沫若序列にこだわる」）という章を設定して、雑誌『現代』編集長時代のエピソードを紹介している。『現代』四巻一期に特大号を組むことにした施蟄存は、杜衡と連名で郭沫若に原稿依頼を出し、現代書局から出版されることになっていた『離滬之前』を『現代』で先に発表する許可が出た。が組版が終わってから、編集部の葉霊鳳に対して、郭沫若から単行本をすぐに発行したいので、『現代』への掲載を断る旨の通告があった。原因は『現代』の目次で郭沫若より前に周作人の名前があったからであった。結局、掲載は継続されることになり、郭沫若が「訳もなく偶像と一緒に並べられるのに安んじられなかった」という言い訳の書簡を施蟄存・杜衡に送って一件落着となる。施蟄存はこのエピソードを紹介したのち、「けれども三〇年代に雑誌や新聞の編集をした人なら、よくこのような事件に遭遇したはずである。少し気を緩めるとこのような面倒なことになる。大作家のご機嫌をとるのは大変だったのである」と結んでいる。(7)

沈従文を回想した文章では、沈従文を郭沫若が「叱責」したことに2箇所にわたって触れている。一九四九年以後、沈従文が歴史博物館の所属となったことに関連する個所では、「私はこの配属は妥当なものであったと考える。従文自身の要求でなかったとは言いきれまい。郭沫若がすごい剣幕で従文を叱責して後、私は従文は二度と小説を書くまいと思った」と述べている。それから沈従文の作品に言及した部分で、「従文の小説には、ずいぶん色情描写が見られる。郭沫若が叱責したのもそこであった。（中略）郭沫若がこのことで沈従文を叱責するとは、親友の郁達夫のことを完全に忘れてしまったものと見える」と皮肉たっぷりに書いている。[8]

いわば郭沫若の『孔雀胆』問題は、こういった一連のエピソードが施蟄存に喚起した感情と同じものを背景にしているということができる。しかし施蟄存はこの『孔雀胆』問題を回想録に記すことがなかった。その理由は明らかでない。郭沫若のような「大作家」が自分の小説のアイデアをこっそり利用して戯曲を書いた、ということを証明しようとすること自体、大作家を利用して自分を持ち上げようとするはしたない行為、と謗られるかもしれないと慮ったのであろうか。

いずれにせよ、長い時間をかけて培われてきた郭沫若に対する反感が、台湾作家によるインタビューをきっかけに、八十数歳の施蟄存を突き動かして、それまで語ることのなかった問題をわれわれの前に提示したと言えよう。

注

（1）応国靖編『中国現代作家選集　施蟄存』所収「施蟄存年表」、『中国文学大辞典』第三巻（天津人民出版社一九九一年十月）などによる。ちなみに『文藝月刊』は一九三〇年八月十五日南京で創刊。正中書局発行。編集担当者に王平陵、宗白華などがいる。一九四一年十一月に停刊。

（2）郭沫若『孔雀胆』（人民文学出版社一九七九年九月）の附録。

（3）原載『聯合文学』六巻九期一九九〇年、『沙上的脚迹』（遼寧教育出版社一九九五年三月）に収められている。
（4）『中国現代作家歴史小説選』（上海社会科学院出版社一九八四年十月）。
（5）原載『聯合文学』六巻九期一九九〇年。訳文は、青野繁治訳『砂の上の足跡』一九九九年三月　大阪外国語大学学術研究双書22、による。
（6）『創作的経験』（上海天馬書店　一九三五）、上海書店影印本一九八二年五月、所収。
（7）『新文学史料』一九八一年二期。
（8）『沙上的脚迹』（遼寧教育出版社　一九九五年三月）

終章　文学と歴史学のはざま
――「黄心大師」の波紋

「影射史学」について

「はじめに」で書いたように、学部生のとき、文学と歴史学の二つのゼミに属していた。文学ゼミでは専ら文学理論に興味があり、毛沢東の『文芸講話』や「両結合」について調べていた。「両結合」との関わりで、その手法を用いて書かれたという大作『李自成』に興味を持ち、作者姚雪垠のエッセイ「『李自成』創作余墨」を翻訳し、『世界の若者よ』(1)に投稿したりした。この頃から既に「歴史小説」と「文学理論」は、私の関心の二本柱であった。

中国の歴史と歴史学に関する当時の私の関心は、太平天国にあった。そのころは太平天国運動についての著書(研究書)はさほど多くなかったので、それらをもとに、ゼミでは太平天国の概略と日本における研究の概要を説明したのであろうと思う。その結果として卒業論文は太平天国に関わるものとなった。

卒論のテーマは「文化大革命以後の太平天国研究」である。今から思えばこの卒業論文は、私の文学研究者としての原点と言えるようなものだった。

歴史学の論文が、なぜ文学研究者としての原点なのか、そこに本章のポイントの一つがある。

当時、中国は文化大革命が終わって間もないころで、華国鋒政権下、所謂「四人組」批判が展開されていた。

それは歴史学の分野にも及び『歴史研究』誌や『紅旗』のような中国共産党の理論誌、更に『人民日報』『光明日報』などの新聞メディアにおいて、「四人組」系の執筆グループ梁効や羅思鼎等が行なったとされる「影射史学」(「当てこすり史学」などと訳されていた)なるものを批判の対象とする論文が多く掲載されていた(2)。

「影射史学」とは、簡単に言えば歴史上の人物批判をすることを通じて暗に現役の政治リーダーを当てこすり、批判するような「似非歴史学」のことで、例えば、『水滸伝』の人物宋江を、梁山泊の英雄豪傑を率いて皇帝に臣従した「投降主義」者として批判することによって、暗黙のうちに、一九七五年当時全国人民代表大会で「四つの現代化」を提起していた周恩来・鄧小平の実務派的政策を、社会主義革命を裏切り、資本主義の道を歩む実権派つまり走資派として断罪しようとするものであった。太平天国研究に於いても「忠王李秀成の自白書」が投降主義路線として批判されたのは、同様の政治的背景によるものである。また東王楊秀清と北王韋昌輝の内紛は、野心家による政権争いの結果生じたクーデターであるとし、暗に林彪事件を臭わせる。又、英王陳玉成については、洪秀全が「大胆に抜擢した」と評し、一九七三年の十全大会で党副主席・党政治局常務委員に大抜擢された「四人組」の最年少の一人、王洪文を持ち上げる材料に利用している等々。

政敵を批判し、打倒するために「歴史」を利用することは、政治においては当然のことと考えられている。しかし、この「影射史学」は政敵のイメージダウンを目的とするため、特定の立場から歴史人物の実像を歪曲する、という問題も織り込まれることになる。たとえば、忠王李秀成が書いた「自白書」を重んずるあまり、彼が、江南一帯で果たした軍事的役割を無視する、という具合である。このようなマキャベリズムと結びついた歴史記述は、歴史の実態から離れた立論であり、歴史学とは言えない、と批判されたのだった。

私の卒論もこうした「影射史学」を背景にしたものだった。

文学と歴史学のはざま

しかし卒論を書きすすめながら思い続けていたことがあった。この一九六〇~七〇年代に「四人組」が行なったという「影射史学」は、実は歴史小説や歴史劇が五四運動以来ずっと行なってきたことと同じではないのか、ということである。例えば、郭沫若が四幕劇『屈原』を書いて国民党と蒋介石を諷刺し、陳白塵が『石達開の死』という芝居を書いて大渡河に追い詰められた共産党軍の苦境を描き、呉晗が歴史劇『海瑞罷官』を書いて毛沢東が国防部長彭徳懐を失脚させたことを諷刺したりしたように、中国の歴史文学というものは、たいてい「借古喩今」の意図が背景にある、と考えるのが当時の常識であった。

「文芸は政治に奉仕する」というテーゼを毛沢東が提起したのは、一九四二年の延安文芸座談会においてであるが、そのように考えると、中国文学は延安以前から、文学を政治に奉仕させてきていたのであり、毛沢東はそれを後から定式化したにすぎないのである。

そもそも中国現代文学の第一声である魯迅の「狂人日記」は、『新青年』という雑誌を舞台として、五四時期のトップクラスのインテリたちが、「民主」と「科学」を標榜したことを背景に、封建主義の支配的思想である「儒教」を批判することがテーマであった。それが高度に政治的テクストであったことは、その後、魯迅が『阿Q正伝』を書いて、辛亥革命の前後で支配階級が変わっていない現実を諷刺的に描いたことによって更に明らかとなる。また魯迅は雑文というスタイルを用いて、旧勢力と戦ったのであった。それは政治に奉仕するというより、政治そのものであったと言えよう。このような先駆者があったことによって、中国の現代文学が強い政治的色彩を帯びるのは当然の結果であった。しかし、魯迅は文学を政治そのものと化すことによって、政治に奉仕するという形で個人的目的を犠牲にし、主体的活動から排除されることを回避し、自らの主体性を貫いたのであった。この点は見逃すことができない。魯迅は政治的発言において、自らの主体性を貫いた作家である。しかし現実には多くの作家たちは、大きな政治の流れや経済的逼迫の中で、主体性を貫くことが困難だったのではないだろうか。

いずれにしても、「影射史学」という「似非歴史学」の正体は、諷刺的歴史文学だった、と言ってよい。実際、「影射史学」とされる文章の多くは、「歴史読物」として出版されており、小説のような物語の形式で叙述されていた。

「影射史学」は、物語の叙述方式を採用することによって、勧善懲悪に代表されるような物語のロジックに支配されることになり、一旦「悪」と見なされたものを、徹底的に退治すべきものと見なして行くことになる。そこから生まれるのは客観的に現実を判断する視点の喪失である。

最初から政治的プロパガンダとして意図されたものであるから、プロパガンダとしての効果を高める為の加工は有りだった、と言えよう。歴史を客観的に研究するのではなく、政治的に都合のよい歴史解釈を過大にとらえて、プロパガンダに利用し、都合の悪い部分は無視したり隠蔽するのである。それは中国現代文学がフツーに行なってきたことであり、毛沢東『文芸講話』によって、それが加速、尖鋭化された、ということなのである。

だとすれば、ここで問題にしなければならないのは、文学というものの在り方、そして作家の現実に向き合う態度つまり主体性なのだということになる。

施蟄存の歴史小説

そのような問題を考えていたときに出会ったのが、施蟄存という作家であり、その歴史小説であった。私が施蟄存の「鳩摩羅什」「将軍底頭」「石秀」「阿襤公主」「李師師」「黄心大師」のような歴史小説に魅かれたのは、それらが他の作家たちの歴史小説と違って、純粋に歴史と向き合っていて、そこに「借古喩今」の意図を有しないからであった。

施蟄存は歴史文献のなかから、そこに記載される人物たちの真実の姿や強い思いを読み取り、時にはフロイトの精神分析の手法を用いて描き出してみせたのである。それは歴史の文献からいかにして真実を読みとるのか、という問題意識であり、当時批判されたような「歴史人物を現代化する」ものではなく、いわば既に固まってしまった歴史人物の評価を相対化しようとする試みであった。そして、そこに作家施蟄存の主体性が現れている、と私はとらえている。

日本では織田信長にせよ、豊臣秀吉にせよ、徳川家康にせよ、毀誉褒貶さまざまな評価があり、善玉に描かれたり、悪玉に描かれたり、また複雑な二面性をもった人物に描かれたりする。それは歴史というものが勝利者の観点で描かれるということに対する文学による価値観の相対化が文学の任務と考えられるからである。しかし中国では一般に、三国志の劉備、関羽、張飛、諸葛孔明は、それぞれ欠点があることは描かれていても、常に英雄人物で善玉として見られるのであり、曹操、曹丕は権謀術数の奸臣つまり悪玉とみなされている。宋の民俗的英雄岳飛を毒殺した秦檜は売国奴と評価が決まっていて、それが覆ることはない。特に秦檜の評価は、国家が外交的危機に瀕している時代において、政敵に売国奴のレッテルを貼って倒すために、相手を秦檜になぞらえるという形で利用され、評価が固められてきた。今でも秦檜の像には観光客が唾を吐きかけていくというから、彼を再評価する、などということは中国の人々には考えられないことなのである。

施蟄存が取り上げたのは、評価を相対化することが、そのように国家の理念にまで波及するような「大人物」ではなく、仏教を中国に伝えたクチャの僧、チベット系吐蕃との戦闘に従軍した唐の将軍、水滸伝のなかの一人の英雄、元代の雲南で覇を唱えた大理王の妻、水滸伝に登場する妓女、宋代の妓女から出家して釣鐘の鋳造という功徳を積んだ尼僧といった歴史の片隅に生きた人物であり、彼はその生きざまを現代の我々に理解できるように描き出してみせたのであった。

なかでも施蟄存の歴史小説最後の作品「黄心大師」は、文学と歴史ないし文学と政治のはざまを考える上で、もっとも重要な作品である。また、この作品は施蟄存の文学とどのように関わっていくべきなのか、という主体性が問われた作品でもあった。

施蟄存の「黄心大師」

「黄心大師」は発表当初から、批判にさらされていた。そのことは施蟄存の「『黄心大師』について」というエッセイから知ることができる。批判の論点は主に二つあった。一つは施蟄存が「鴛鴦蝴蝶派」や旧文学の道に戻ってしまったというもの、もう一つは施蟄存の描いた人物は神か仙人のように現実離れしている、というもので、それらは許杰が『大晩報』に書いた「読書エッセイ」で「黄心大師」に言及して述べたことである。

施蟄存は、一つ目の論点については、

中国の小説には、西洋の小説のように全面的な客観的描写はまれである。しかし読者に及ぼす効果は西洋の小説と比べても遜色はない。或いは、中国の読者に対しては、西洋の小説よりも効果が大きいということができる［施蟄存一九三七］

と述べ、それは、中国の伝統小説には、

前後の物語の一貫性（整合性）をもった語りの描写、言い換えると、語りの中に描きこまれた一種の文体［施蟄存一九三七］

が、存在していると指摘する。中国の読者がそのような閲読習慣をもっていることを前提に、

この一、二年来、意識的に純中国式の白話文を創造する試みを行なってきた。［施蟄存 一九三七］

のであり、その「猟虎記」と「黄心大師」という二編について、

今の私の考えでは、キーポイントは私の意識的実験であるこの二編は、いずれも物語（a tale）の形式を用いた、ということだ。［施蟄存一九三七］

と述べている。

つまり施蟄存は意識的に旧物語文学を再評価し、現代文学のなかに再構築しようとしたのである。それは読者から見れば、旧文学に舞い戻った、と受け取られても仕方がない側面があった。しかし西洋流の純客観描写に行き詰まりを感じていた彼の考え方は、数年後に毛沢東の「文芸講話」によって「民族形式」の提起という形で、継承されて行くことになる。

許杰から突き付けられた二つ目の論点については、施蟄存の説明は歯切れが悪い。許杰は、物語の中の、生まれて間もない悩娘が一旦妓女になった後に出家することを、尼僧の長老が予見したり、悩娘が防人に取られる夫に、すべて決められていることだから大丈夫と悟ったような言葉を吐いたり、妙住庵の老尼が悩娘の出家を予見して準備をしていたこと、など予定調和的なストーリーの展開に対し、「神奇」とか「奇妙」という言葉を用いて批判した。それに対する施蟄存の回答は、

尼たちの言葉は正に伝説者（語り手）の語りにおける「神奇」と「奇妙」であり、この「物語」の原形でもあるのだ。私が物語ることでそれらの「神奇」と「奇妙」を説明するのだが、私の説明は黄心大師本人の行動と思想に現れる。直接迷信を排除する論文を書くのではない。物語の技巧と言う点においてだから、私はこの部分に責任をもたなくてもいいのだ。［施蟄存一九三七］

というものであった。分かりにくい表現だが、要するに物語の中に描かれる神性を帯びたエピソードは、それを作者が信じているからではなく、そのように語り手が語っていることによる結果である、というのである。作者と語り手を、やや不明確ながら、分離して論じているところが興味深いが、南昌郊外で見つけた旧い釣鐘とその碑文について、あれこれと考察を加え、様々な資料を調べて、その結果がこの物語になりました、という内容

の「序文」によって導かれる「悩娘＝黄心大師」の事跡に関する物語の一人称の語り手「私」は、あくまで作者施蟄存が小説の中に設定した虚構の人物にすぎない、ということを主張したかったのであろう。

序の部分の「私」という登場人物が本文では「語り手」となる二重構造によって、それが実現されていることを作者は充分意識していなかったかも知れないが、作品自体は客観的にそのような構造を呈していると言ってよい。

しかし施蟄存がこのようにして新しい文体の創出を目指して創り出した「黄心大師」という作品は、作者が思ってもみなかった結果をもたらすのである。

「黄心大師」の波紋

小説「黄心大師」が朱光潜の編集する『文学雑誌』に掲載されたのは、一九三七年六月のことである。それから九年後の一九四六年になって、施蟄存は一人の面識のない玉仏寺の震華和尚という人物から手紙を受け取る。そこには、震華和尚が仏教史を研究していて、『仏教人名大辞典』などの著書があり、『続比丘尼伝』という著書をまとめていたが、戦後の物資不足でまだ出版に至っていない。執筆に際して、施蟄存が「黄心大師」の参考にしたと書いている『比丘尼伝』の「明代写本」を参照できなかったので、そのことをこの九年間残念に思っていた、この機会に複製をさせてほしい、という主旨のことが書かれてあった。

施蟄存にして見れば「黄心大師」は、『白玉蟾集』にあった詩と詞各一編が贈られた黄心大師という人物に大いに興味を持ち、「嘗て官妓たり」という説明から想像を逞しくし、宋人詞話の体裁をとるために、『比丘尼伝』や『洪都雅致』といった架空の書物を作り出して、物語化した作品であった。当然『比丘尼伝』明刻本は実在しないし、「写本」も存在しない。

この手紙を読んで、施蟄存は恐怖を感じたという。「一人の病床にある老僧が私の虚構した比丘尼伝の明代写本を未だに忘れられず、その本を探し出して、自分の著作を充実させようというのである。これは私が一人の正直な人を騙したということではないのか。」[3]と彼は書いている。

そのとき彼は上海におらず、震華法師の手紙は転送先の徐州で読んだのだったが、震華和尚をがっかりさせたくないという思いから返事をしないまま秋になり、上海に戻った施蟄存は震華和尚の『続比丘尼伝』を目にすることになる。その第二巻におさめられた「南昌妙住庵尼黄心伝」は、完全に施蟄存の「黄心大師」に依拠して書かれたもので、その巻末には弟子超塵の跋文があって、震華和尚の「もし何とかして借りることができていたら我が著書を改訂したであろう」という比丘尼伝明代写本への思いが記されていた。

私はこれらの文章を読んで、どうしたらいいのか、まったくわからなかった。元々、玉仏寺を訪ねるつもりだったが、そういう訳で引き延ばしためらっていた。私の小説がすでに彼の著書に泥を塗っていたからだ。（中略）今、和尚が比丘尼伝を著すに当って、拙文を用いたことは、期せずしてとは言え、世を欺いたこととなり、深く後悔の念を抱くものである。［施蟄存一九四七］

結局、施蟄存は震華和尚を訪ねるのを躊躇している間に、震華和尚の訃報に接することになる。

和尚は最後まで比丘尼伝明代写本が存在しなかったことも、その敬虔な著作の中に信じることのできない素材が混入したことも知らなかった。

和尚は仏の国で安らかな眠りにつき、そこで確実に永遠の希望を抱いていることであろうし、少なくとも失望をすることはなかった。

だが私はどうだ。永遠の悔恨と払いのけようのない憂鬱を背負い込むことになってしまった。今日改めてその『続比丘尼伝』を調べてみると、第一冊の表紙に「蟄存先生惠存、著者病中より書を贈る」とあった。思わず物悲しい気持ちになり、本の表紙を裏向きにして、書棚に放り込んだ。それと同時にこのいきさつを書きとめ、これは私の小説がつくりだした最大の過ちであった、と思ったのだった。［施蟄存一九四七］

震華和尚も「黄心大師」が歴史小説である、ということは知っていたのである。しかし、そのもとになった資料が、施蟄存が「宋人詞話」の体裁にするために虚構した書物であることまでは、察しなかった。その結果として、小説のなかに、何らかの歴史資料に基づく真実が反映されている、と見なしたのであろう。和尚は「序」の部分までが、虚構された作品の一部を構成しているとまでは考えず、「序」の部分は作品としての「本文」が出来上がるまでの「現実」の創作過程を書いたものだと誤解したのであった。しかし、実際には、実在人物としての「黄心尼」の姿を著す資料は「白玉蟾集」のなかの詩詞と「嘗て官妓たり」という付記だけだったのである。結果的にフィクションの物語が、歴史の事実として広められることになった。このことを施蟄存は深く後悔することになったのである。

「黄心大師」が施蟄存の最後の歴史小説となったことには、このような出来事が関係していたと思われるが、施蟄存が西洋小説の純客観描写とその暗さに満足できず、古典文学を見直すために「宋人詞話」の体裁を用いて、中国の読者の趣味にあった物語を創出することを目指した「黄心大師」という作品は、フィクションとしての完成度が高かったために、一人の老和尚にその資料の実在性を信じさせてしまう結果となった。文学はリアリティという文学上の価値を実現するために、フィクションという手段を用いるのであるが、それは嘘を信じさせる力をもっている、ということを施蟄存が身をもって感じ取った瞬間であった。これ以後、歴史小説だけでなく、小説創作そのものからも施蟄存が遠ざかって行くことに、この事件が大きく関係していないとは言い切れないだろう。

フィクション・プロパガンダ・真実性

施蟄存は、小説の虚構性と歴史的事実の違いを明確に区別していた。しかし震華和尚の『続比丘尼伝』事件を通じて「リアリティをもった嘘」を信じた人々が存在するという「衝撃的」な事実を突き付けられたのである。それは施蟄存のフィクション生成の技術が優れていたことによって発生した一種の悲劇に他ならないが、この点は逆の発想をすれば、すぐれたフィクションを構築し、それをフィクションではなく、真実だと言って公表すれば、読者はそれを信じるに違いなく、そのようなフィクションは、一定の政治的目的を実現するためのプロパガンダとして、ある政治勢力に利用され、その勢力の為に奉仕する優れた道具ないし武器となる。

施蟄存はそのような作品を書いてしまったことで、強い後悔の念を抱くことになったのであるが、それは施蟄存という作家がすぐれた良識と良心の持ち主であったことの表れに他ならない。彼は後悔の念にかられるあまり、プロパガンダへの転用の可能性には思いいたらなかったのか、自身の悔恨を表明した文章では、その可能性に言及していない。

しかし、ある政治的目的の為に、誰かが歴史の事実とは異なる何の根拠もないフィクションを創作し、真実の物語として公表し、読者や世界の人々を感動させたとしたら、施蟄存はなんと言うであろうか。その人物の作品が仮に多くの人々を幸福な気分にしたとしても、客観的に見れば、その人物はペテン師に他ならない。ダンテの『神曲』がマホメットをペテン師に描いたことにどういう意図があったかはわからないが、[4] そのことがイスラム教徒の心を傷つけるものであったことは間違いない。また日本のある新興宗教の教祖は、宗教的な結びつきを権力行使の手段にすり替え、ペテン師どころかテロリスト集団のリーダーとなった。近年いくつかの国を巻き込んで社会問題となった「従軍慰安婦」の騒動は、ひとりの日本人が書いたドキュメンタリー風の作品が発端となり、日本を代表する新聞メディアが、それをもとに誤った記事を書き、何十年の後に撤回し謝罪するという事件に発展した。昨今では、トランプ大統領の当選した選挙以来、インターネット上でフェイクニュースが人々の現実認識に混乱を招いている。

毛沢東は「延安文芸座談会における講話」において、「我々の文芸は労農兵に奉仕しなければならない」「階級性を帯びない人間性はない」と述べ、階級闘争史観にもとづいて「地主階級」や「資産階級」を残酷な悪人イメージで塗り固めた。その結果どうなったかと言えば、文化大革命において、実体のない階級区分に基づく理不尽な差別と攻撃が、実態のない「地主階級」の血縁者や子孫に対して加えられ、そのさまは一九七八年以降「傷痕文学」をはじめ様々な小説作品に描かれ、[5] また多くの人々による回想録で証言されている通りである。ようするに階級闘争史観に基いて書かれた中国現代史を題材とする中国の歴史小説は、新しい公平な歴史解釈によって評価され直すか、書き換えられる必要があるだろう。

しかし施蟄存の歴史小説は、「借古喩今」の意図をもたなかったことによって、普遍性を獲得し、今もその文学的価値に変わりがないことは言うまでもない。

今後中国では、現代史を題材とする文学作品の客観的見直しが行なわれることになるであろう。それに際し、戦争にかかわる事件や人物に関する評価における「敵」「味方」というバイアスのかかった物語的視点は客観性を欠くものとなる、という点を重視すべきであろう。また歴史学の究極的な目標は「敵に勝つ」ことではなく、「歴史的事実は何だったのか」を明らかにする、という点に重きを置くべきである。それは文学研究においても同様である。

注

（1）大阪外国語大学の大学祭実行委員会が、学生の翻訳した海外の作品を発表するため毎年発行していた出版物。
（2）たとえば王慶成「太平天国革命的反封建性质不容否定――驳梁效、罗思鼎対太平天国历史的歪曲」など
（3）施蟄存一九四七「一个永久的歉疚――対震华法师的忏悔」
（4）E．W．サイード『オリエンタリズム』平凡社　一九九三年六月、上巻一六三頁
（5）たとえば喩智官『上海福民公寓』、邦訳『上海フーミンアパート』笠原貞子訳　東京図書出版会、張抗抗『赤彤丹朱』

補章　文人から作家・編集者・翻訳家そして研究者へ
——施蟄存の文学歴程

文学少年時代

施蟄存は、一九〇五年十二月一日、現在の中国浙江省杭州市に生まれた。清朝の光緒三十一年のことである。同年八月に孫文が東京で中国革命同盟会を結成し、辛亥革命に向けての動きが始まっていた。また九月には日露戦争が終結し、日本の大陸進出が活発化しはじめた時期である。

施蟄存の家系は知識人の家柄であり、その祖先は三国時代の魏から帝位を奪った司馬氏の晋が、五胡十六国の遊牧民の侵入によって、南下して東晋をつくったのに伴って、杭州にやってきたという。

施蟄存の父親施亦政は、一八八一年生まれであるから、魯迅と同年で、すでに秀才の試験には合格していたが、一九〇五年九月に清朝政府が科挙の試験を廃止し、「学堂」を広めるとの通達を出したため、魯迅の書いた孔乙己と同様に科挙による立身出世の道を断たれた。運よく杭州の名門陳霞起府で家庭教師と秘書の職を得、生計をたてることができるようになった。一人息子の施蟄存をもうけ、のちには娘施絳年（一九〇九年一月生）、施咏沂、施燦衢が生まれた(1)。一九〇七年頃、陸懋勛と知り合って、その縁で蘇州の江蘇師範学堂で働くことになり、一九一一年には一家全員で蘇州に移り住んだ。しかし同年辛亥革命が起こり、江蘇学堂が改組されたため、施亦政は失職したが、陸懋勛が華亭県（現上海市松江区）で靴と靴下の工場を設立したので呼ばれて松江に移り、後に施亦政は工場の経営を任されることになる。施蟄存はこの松江で少年期を過ごしたのだった。

施蟄存が幼少期を過ごした杭州も蘇州も松江もいずれも魏晋南北朝の南朝の都であり、華やかな古典文化が栄えた土地柄で、また江南の風光明媚な環境もあり、そういうなかで文学者としての感性が育まれたと言ってよいだろう。

施蟄存は最初、旧時代の教育を受けた。一九一〇（清宣統二）年、まだ蘇州に住んでいたが、父親に連れられて、徐老先生[2]の私塾に連れていかれ、そこに通って半年で『千字文』を少しずつ意味もわからないまま暗唱したという。今の小学生は、五百字も知らないのに、勉強を始めて半年で千字も覚えられる『千字文』をはじめ、『三字経』『百家姓』などを教材とする旧社会の啓蒙教育には今でも反対ではない、と後に回想している[3]。

父親の書棚には「経史子集[4]」がすべて揃っていたが、小説は一冊もなかったようで、こづかいをためて、自分で初めて買った本は、金聖嘆批評七十回本の『水滸伝』であった。後に施蟄存は『水滸伝』に取材した歴史小説「石秀」と「李師師」を書いているが、七十回本に李師師は登場しないとしても、施蟄存の書いた歴史小説六編中、二編が『水滸伝』に由来するものであるのは、偶然ではあるまい。

施蟄存は辛亥革命後、高等小学校に入学、卒業後は江蘇省立第三中学に進学した。今の松江第二中学にあたるこの学校で中華民国の新しい制度のもとで教育を受けている。教育事業に熱意をもった校長のおかげで、すぐれた資質の教師が集まっていたと、施蟄存は後に感謝の思いをもって回想し、「飲水思源」の字を書いて母校に送ったという[5]。

この頃、施蟄存は父親の書棚の本から、詩詞や曲（演劇）にも関心をもち、詩や詞を自分でも書くようになっていたが、辛亥革命後の新教育制度の薫陶をうけなかったとしたら、そのまま旧時代の文人として成長していたかも知れない。しかし江蘇省立第三中学の教師や学友たちの影響によって、西洋近代へも目を向けるようになっていた。

学生時代・創作の開始と同人誌活動

施蟄存は一九二二年、松江第三中学の学生だったころ、鴛鴦蝴蝶派の雑誌として名を知られる『礼拝六』『半月』『星期』などに作品を施青萍あるいは青萍の名前で投稿し、掲載されている。十六、七歳の早熟な文学青年施蟄存が『礼拝六』誌に投稿した「恢復名誉之夢」「老画師」は、習作とはいえ、施蟄存らしさも垣間見える興味深い作品であった。

「恢復名誉之夢」(名誉を回復する夢)は、松江城南門の外に住む徐労鋤という十六歳で両親を亡くした男が、村長の家で下働きに雇われていた。生来の臆病者で、それをネタに馬鹿にされ、何とか汚名挽回したいと思っていたが、仕事帰りに隣人が外国人に殴られているのを見かけても、仲間の長髪のように相手に食って掛かり、外国人を追い払って隣人を救うこともできず、名誉回復のチャンスを逃したことを悔やむ。すると労鋤はいつのまにか軍服に身をつつみ、戦場にいる。敵が攻撃をしかけてきて、突撃を命じられた味方の兵士は次々に弾に当たって倒れていく。労鋤は逃げだすが、敵の弾に当たって倒れる。赤十字病院で目を覚ました労鋤は、傷ついた兵士たちが、逃亡兵には弾が当たり、勇敢な兵には弾が当たらないように神様が助けてくれる、と話すのをきき、それ以後、逃げ出すのをやめ、戦いで勝利をおさめるようになる。勲章をもらって凱旋した労鋤を周りの人々は馬鹿にしなくなったが、その時落馬して、それで目が覚め、戦場体験が夢だったと悟る。労鋤は「月根国」との戦争が始まったと知り、軍籍に入り、その五年後に少尉になって戻ってくるが、その際、自分が夢を見ているように感じていた。夢から学んで、実行した行為が逆に夢のように感じられる、という逆転構造は、魯迅の「狂人日記」の構造を彷彿とさせる。この構造は、後の「黄心大師」の構造にも類似するものがあるように思うが、徐労鋤という若い男の心理描写を通じて、現実を非現実的に感じる人物の不安定な内面をリアルに描くことに成功している。この主人公には魯迅の阿Qの影響も見て取れる。「月根国」（「日本国」とわかるようにわざと命名している）との戦争が背景にあるが、この時期、日本と中国は戦争をしていない。日清戦争を背景にしているのか、それとも来るべき日中戦争を予見しての作品であるのか、今となってはわからない。

「老画師」は、妻子のない白髪の孤独な瓊塞耳（ジョーンズ?）という名の老画師を主人公とする物語で、人物の名前が西洋人であることから、舞台はおそらくイギリスと思われる。あるいは外国の小説の翻案であったのかも知れない。この主人公の画師は、美人画の流行する時代に、あえて美人画を描かず、社会の日常を描いて孤高を貫き、人々から狂人扱いされていた。画師は老いたが、三千幅に及ぶ彼の絵は一枚も売れなかった。ある日、画師の店の前に、一人の子供が画材を買って、画師の絵を模写しはじめる。事情を聞くと、父親が鍛冶屋をしていて自分の仕事場に自分が働く絵を飾りたいと言っていた。画師の絵は父に似ていて気に入ってるのだが、十元というお金が払えないので、模写しているという。子供が『画師の絵は美人画よりもすばらしい』、とひとこと言ったのに感激して、店に掛けていたすべての絵を子供にプレゼントするのである。物語は未熟で、鍛冶屋の子供が画師の絵が気に入った理由も説得的な説明となっていないし、六十年も誰も理解者が現れなかった画師の絵に、急に一人の子供の理解者が出てくる設定も唐突である。またその後画師がどうなったのか、が描かれておらず、ハッピーエンドは暗示のみに終わっている。しかし子供とはいえ、初めて自分の絵に理解を示した客への画師の反応は、理解できるし、おそらく若い施蟄存が描きたかったのも、自分の芸術が理解されたという画師の喜びであったのだろう。

中学卒業後、杭州の之江大学、上海の上海大学、震旦大学に学んだ。杭州では蘭社を結成、同人誌『蘭友』を発行した。『蘭友』を通じて、杭州在住の文人たちとも交流があったという。一九二三年には、そのような活動のなかで書き溜めたものか、『江干集』という小説集を自費出版している。彼自身の回想によれば、印刷部数は百部であったという。

『江干集』は習作集であり、正式の自分の作品集とは見なしていない、と後に施蟄存は述べているが、ここに収められた二十四編の短編小説の中には、後の施蟄存の作風につながるものも含まれており、貴重な史料であると言うことができる。施蟄存はそのあとがきに当たる「創作余墨」において、蘭社のメンバー銭塘�の〝小説のプロットは、数奇さにあるのでもなく、真実性にあるのでもない。もし数奇性を重んじるなら「筆記」を読むのがよく、真実性を重んじるなら「新聞ニュース」を読むのがいい〟という言葉を引用し、短編小説を理解するものだ、と高く評価し、「私の作品集においては、プロットも数奇でなく、真実を読者に提供するものでもない。」と述べている。

之江大学は学生運動にかかわったことにより、退学することとなった。そこで上海に移り、中国共産党の設立した上海大学で、茅盾や田漢の講義を聴いた。同窓には後の女流作家丁玲もいた。施蟄存は後に回想して、当時から華があった丁玲の女学生時代を「丁玲の高慢」という文章に書いているが、丁玲の代表作の一つ「莎菲女士の日記」を彷彿とさせて興味深い。震旦大学はフランス語の速成クラスで、戴望舒らとフランスに留学する計画の一環として通っていた。ここで知り合ったのが、台湾出身で東京の青山学院中等部に学び、卒業後は進学せず上海にやってきていた劉吶鴎である。施蟄存の留学は実現しなかったが、劉吶鴎を通じて、日本のプロレタリア文学、新感覚派文学を受容することになった。

一九二六年、杜衡、戴望舒と同人誌『瓔珞』を発行した。一九二八年には杜衡、戴望舒、馮雪峰らと『文学工場』というプロレタリア文学の雑誌を計画したが、左傾をおそれる出版社の意向で実現せず、劉吶鷗を中心に独自の出版機構を持とうということになった。それが第一線書店で、半月刊の『無軌列車』という雑誌を発行した。しかし一九二九年になると当局から「赤化」を指摘され、場所を移転して水沫書店と改名、月刊誌『新文藝』を発行した。しかしこれもまた一九三〇年四月発禁処分にあい、翌年書店も東華書店と改名する。一九三二年上海事変勃発後、劉吶鷗は一旦日本に去り、彼らの活動はしばらく停止するが、五月に現代書局によって『現代』が創刊され、施蟄存が編集長に招かれた。これ以後、しばらくのあいだ、商業的文芸専門誌『現代』を拠点とする文学活動が中心になり、劉吶鷗、戴望舒、杜衡、穆時英とともに「現代派」と呼ばれることになる。

一九三〇年代初頭は、施蟄存にとって最も創作活動の活発な時期であった。『新文藝』時代の代表作「鳩摩羅什」（一九二九年）によって、フロイトの精神分析を用いた心理分析的歴史小説の手法を確立した彼は、その後も商務印書館の『小説月報』に「将軍底頭」「石秀」を発表し、『文藝月刊』に発表した「孔雀胆」を「阿襤公主」と改題して、合計四編を単行本『将軍底頭（将軍の首）』（新中国書局一九三二年）として刊行している。これらについては、本編で詳しく論じたので、ここでは割愛する。(6)

施蟄存の小説のもうひとつの流れは、『瓔珞』に掲載された「上元灯」「周夫人」に代表される。幼年時代の記憶を田園の風景とともにノスタルジックに描きつつも、そこに性の芽生えを織り込んでいく作品で、その傾向は女性を心理分析的に描き出す作品へと発展して行く。それらは、上流夫人から売春婦まで上海の様々な階層の女性の心模様を描き出した『善女人行品』（上海良友図書印刷公司一九三三年）にまとめられている。

同じ頃、施蟄存はまた文学的実験を多く試みていた。この時期、彼は「梅雨之夕」「在巴黎大戯院」「魔道」「四喜子的生意」のような「意識の流れ」の手法を用いた作品を次々に書いている。これらは上海という大都市を背景に、そこで生活する様々な階層の人々の心に潜む魔のうごめきを、幻想的に描き出した作品群であり、短篇小説集『梅雨之夕』として一九三三年に新中国書局から刊行されている。

最後の小説作品集『小珍集』にも、「鴎」のように銀行につとめるサラリーマンの性心理を描いたモダニズム小説が収められているにも関わらず、全体としては、リアリズムの手法に変化したと考えられている(7)が、実は「黄心大師」の章で見たように、新しい文体の確立を目指して、様々な試みを行っていたのである。

モダン都市上海を描いた小説集『梅雨之夕』

ここでは施蟄存の主要なテーマの一つであるモダン都市上海を描いた作品を、小説集『梅雨之夕』の何篇かを通して紹介する。

『梅雨之夕』の表題作「梅雨之夕(8)」は施蟄存が現代都市上海を舞台に描いた短篇小説の代表的作品である。ある梅雨の雨の降る夕方、「わたし」は会社からの帰宅途中、路面電車から降りてきた若い女性の美しさに魅かれ、思わず後を追っていく。今風に言えばサラリーマン男性のストーカー行為を描いているわけであるが、女性のあとを追いながら、男の心の中にせめぎあい去来する様々な想念が、街を行き交う人々、立ち並ぶ商店の様子、通り過ぎていく道筋とともに流れていく。上海という街を知っている人なら、頭の中の地図に、今彼らはどこそこを歩いているのだ、と想像し、その風景を思い浮かべながら読んでいけるように設定されているのである。川端康成にも老人が若い娘のストーカーをする小説があったと記憶するが、影響関係があるかどうかわからない。実際のストーカーとは違って、娘を追いかけていって声をかけると会話が成立し、「わたし」は彼女を送って歩きつつ、蘇州なまりの彼女と会話を楽しみ、あらぬ想像をしてみたりする。結局彼女を家まで送り届けて、彼女が消えていった家のドアをたたくと、自分の妻が出てきて、ふと我に返る、というオチである。ストーカー行為自体が彼の空想であった、と暗示するような結末であるが、結末よりもそこに至るディテールの描写に作品の狙いがある。つまりこの作品の影の主人公は実はモダン都市上海なのであった。

「在巴黎大戯院」（パリ大劇場にて）は、最初から最後まで、上海のとある劇場に女性を誘って映画を見に行った男性の心の中の独り言（内的独白）によって、劇場に入る前のキップを買う場面から、次のデートの約束までの過程を描き出そうという実験的作品である。女性の行動や心理を理解できずに振り回される男性の微妙に揺れ動く意識が見事に活写され、上海のトレンディなスポットでトレンディな映画を見る恋人たちのすれ違う思いを描き出して妙である。それにしても『梅雨之夕』に収められた作品は、十編中六編が一人称の登場人物による語りとなっている。それは意識的にそのような主観性の強い描き方をしたのであって、現実の社会や他者に対する理解の困難さを描くためのテクニックであったのに違いない。

そのような独白の語りが異常心理へと応用されると、「魔道」のような怪奇小説となる。「魔道」は「わたし」が新居を建てた×州の友人のところへ泊りがけで遊びに行く列車の場面から始まる。ふと気づくと自分と同じコンパートメントにカタコームの王妃のミイラを連想させるような見知らぬ黒服の老婆が座っている。それからは列車を降りて友人の家に向う途中でも、友人の家の庭や散歩に出た×州の町でも、到るところに老婆を目撃するが、その姿は友人たちには見えないのである。「わたし」は友人の妻の姿に誘惑を感じ、避けるように街へ出てカフェの若い女を相手に、「黒」ビールを飲む。カフェの女が相手ならキスくらいしてもかまわないが、もし友人の妻がカフェの女だったら…、とそんな空想をしている間に、女の顔がちかづいて、友人の妻とキスしてしまったという錯覚に陥る。その唇の冷たい感触は妖婦か王妃のミイラかと思われ、友人の妻やカフェの女が老婆の化身ではないかと疑う。部屋に戻ると、女中から「わたし」の三歳の娘の死を知らせる電報を渡され、バルコニーに駆け出した「わたし」の目に横丁に姿をくらます黒い服の老婆が映るのだった。

「薄暮的舞女」（たそがれの踊り子）は、モダン上海に欠かせない職業の一つである踊り子を主人公とし、当時まだモダンなアイテムであったと思われる電話が重要な位置を占める物語で、しかしこれは三人称で書かれている。六人の踊り子仲間と一人のメイドさんと同居する踊り子素雯が、仲間たちが出勤したあと、ペットの猫を愛撫しながらベッドに横たわっていると、突然電話のベルがなる。相手は異なるが、作品の大半はこの電話に応対する素雯の言葉によって占められている。客のアメリカ人酔っ払い潜水夫がしつこく迫るので嫌気がさし、踊り子をやめて恋人と新しい生活を始めたいと考える素雯の願いが、恋人の事業の失敗によって費え、再び踊り子の生活に戻らなければならなくなる、その過程を電話の会話だけで描きだす施蟄存の力量がうかがえる作品である。

「四喜子的生意」（スーシーズの商売）は、留置場で目覚めた「オレ」こと人力車夫スーシーズによって、上海方言を交えた一人称独白体で、拘留されるまでの経過が語られる筋立て。西洋人の女を乗せて走っている間に、自分のタバコの火が女の薄いドレスに引火して穴を開けてしまい、怒りをぶつける女の露出した肌に欲情を覚えた「オレ」が車を止めて暴行しようとしたところを、かけつけたベトナム人の巡査に取り押さえられたのだった。それまでに「オレ」は大馬路（南京路）を走って、新新公司、永安公司、先施公司といった有名デパートの前を通り、街行く女性のファッションに目を向ける。写真館の前を通ったところで、なじみの売春婦喜妞といつか二人で写真をとろうと思う。大世界（演芸場）を通り過ぎて、フランス租界の方に行ってくれるなら、喜妞に会えるのにと思っていたら、八仙橋についてから、今度は霞飛路（ジョッフル路）を走れと指示がでる、というように路程の描写と「オレ」の心理描写が錯綜して出てきて、物語展開の背景として上海の町並みが活写されているのである。

このように施蟄存の書いた「モダン」上海はあくまで、そこで生活する様々な階層の人々の心を描き出す背景として用いられている。杭州や松江を故郷にもち、大人になってから上海で暮らすようになった施蟄存にとって、モダン都市上海そのものに対してではなく、むしろ同じように上海に他所からやってきて、そこで生活する人々の疎外された心の有り様に対して関心が深く、またそれをどのように描き出すかに苦心をしたのかも知れない。そういう意味では、単純にオールド上海のナイトクラブや歓楽街を描いた都会派的な物語を期待する向きには物足りないであろう。当然のことながら同時代人であった三〇年代の彼にはそれを「オールド上海」として懐かしむ心理などありはしなかった。しかしあの時代の上海でなければ、施蟄存のような作家が生まれなかったであろうこと、これもまた真実である。

女性心理を描いた短編小説集『善女人行品』と結婚

施蟄存は『梅雨之夕』に収められたような実験的な手法を用いた作品を書きつつ、次第に描写の中心をモダン都市上海に生活する女性の心理に移していった。もともと同人誌時代に「周夫人」や「上元灯」のような田園風景を背景とする幼年時代の恋愛心理を描いた作品を書いているが、その片鱗は大学生時代に自費出版した短編小説集『江干集』の作品にも見られ、一九二八年には田山花袋の『蒲団』に触発されて、姪に対する執拗な性的ハラスメントを行なう叔父を描いた「絹子」（後に「娟子姑娘」と改題）を『小説月報』に発表していた(9)。女性心理は施蟄存の一貫したテーマであったと考えられる。そのテーマを、モダン上海という背景を新たに得て結実させたのが『善女人行品』である。

この作品集には「獅子座流星」「霧」「港内小景」「残秋的下弦月」「蓴羮（ジュンサイのスープ）」「妻之生辰（妻の誕生日）」「春陽」「蝴蝶夫人」「雄鶏」「阿秀」「特呂姑娘」「散歩」の十二作品が収められている。これらの作品については、中山文、斎藤敏康による詳しい紹介と分析があるので、ここでは割愛する(10)。本編との関連で言えば、歴史小説「李師師」が『梅雨之夕』から『善女人行品』に至る女性心理を描いた作品群と同系列である、という点を指摘しておきたい。

こう言った女性心理を描いた作品には、「蓴羹（ジュンサイのスープ）」「妻之生辰（妻の誕生日）」などのように夫婦のささやかな日常が描かれたものが多い。そこには施蟄存夫妻の家庭生活が一定反映しているのであろう。また「特呂姑娘」はデパートで働く新しい職業婦人を扱っている点で、「薄暮的舞女」のようなモダンガールを題材にしているが、モダンガール性に重点をおかず、女性に対する待遇差別や職業婦人の生き甲斐に焦点を当てている点が注目される。

第三種人論争

施蟄存が編集長を務めた『現代』誌は、商務印書館が上海事変で日本軍の爆撃を受けて、文芸界の中心的存在であった『小説月報』が停刊となったため、その後継的位置づけとなった。『小説月報』が一九二一年に改革を行なって、文学研究会の機関誌となったのと違い、『現代』には組織的な背景がなく、総合的商業誌であったこともあって、多くの作家たちが投稿するとともに、読者でもあった。穆時英、戴望舒、劉吶鴎といった「新感覚派」グループだけでなく、魯迅、巴金、老舎、沈従文のように『小説月報』で活躍していた作家たちも活動の場を移してきた。様々な背景をもった作家たちが読者であることによって、様々な議論が戦わされる場が醸成されることになる。

この『現代』が舞台となった論争としては「第三種人論争」が知られている。施蟄存は『現代』の編集長として、杭州時代からの盟友である杜衡が、蘇汶の名で発表した「関於〝文新〟與胡秋原的文藝論辯」が引き起こした延々一年にわたる論争に、掲載誌である『現代』の編集長という立場で巻き込まれたのである。この論争で蘇汶の側に立っていたと見なされ、魯迅と敵対したとされた彼に、論争がもたらした結果は想像に余りある。そのことを垣間見せるような文章を施蟄存は五十年後の回想記に記している。[11] 施蟄存はまず、

『現代』第一巻第三期に発表された蘇汶の「関於〝文新〟与胡秋原的文藝論辨」は、文芸界に一大論争を巻き起こした。論争が延々一年あまり続いたばかりでなく、その後四十年来、新文学史家は「第三種人」を批判し続けてきた。「第三種人」と言っただけで、大敵に向かうごとく、対決の身構えとなる。

この論争について、十数年来たびたび人に尋ねられた。善意で資料を求めてくるものもあったが、敵意をもって反省を迫るものもあった。私は相手を満足させる回答は不可能だと思った。なぜなら私自身そのあたりの問題をよく記憶していないからである。学術上の論争は、熱を帯びてくると知らぬ間に本題をはずれて、本来の争点を歪めてしまうことがある。

と社会主義中国における施蟄存たちに対する攻撃的視点を代表する「新文学史家」の論点を批判し、「そのような議論はすべてたわごとなのである」として、蘇汶の〝「知識階級に属する自由人」及び「不自由な、党派をもった」階級が文壇の覇権を争っているとき、最も苦労をするのは二つの種類のどちらでもない第三種人である。この第三種人とは作家群のことである。(「関於〝文新〟与胡秋原的文藝論辨」)〟という言葉を引用し、

この言葉は大変明確である。「知識階級に属する自由人」とは胡秋原を代表とするブルジョア自由主義者及びその文芸理論を指す。「不自由な、党派をもった」階級というのは、プロレタリア階級及びその文芸理

論を指す。この二種類の人々の理論的指揮棒のもとで、作家すなわち第三種人は方向性を見失い、どちらに従えばいいのかわからなくなっている。だから作家は文芸理論家の指揮棒から創作の自由を取り戻さなくてはならない、というのが蘇汶がこの文章を書いた動機なのだ。明白ではないだろうか。「第三種人」とは理論家のむやみな指揮に従わない創作家と解釈すべきなのである。

と述べている。論争当時「沈黙を守った」施蟄存が当事者として言い残しておきたかったのは、論争は蘇汶の意図に対する誤解から生じたもので、「第三種人」の主張が反社会主義の動機から出たものではないという点だった。しかし当事者としての施蟄存は「第三種人」に介入すると『現代』が「第三種人」の同人雑誌になってしまうことをおもんばかって、介入しないと決めていた。結果的に、彼はその意志に反して、「第三種人」の仲間と見なされ、「第三種人」を自称していたとまで言われることになった。かつて文学活動を共にし、また出版社の意向とは言え、『現代』を共同編集することになった蘇汶と文芸界の論争に巻き込まれた施蟄存のアンビバレントな思いは、四十年後も続いていたのであった。それは、施蟄存自身の作品への現代中国の評価とも関連していて、そこに『将軍底頭』所収の作品に対する張平の評価との類似性を見ることは、あながち的外れではあるまい。

『現代』編集長時代に創作した小説は、先に触れた『善女人行品』（良友図書印刷公司一九三三年）と『小珍集』（良友図書印刷公司一九三六年）に収められている。『小珍集』所収の「獱虎記」と「塔的霊應」とは本編で「黄心大師」とともに触れた文体改造に関わる作品である。

『現代』を離れた施蟄存は、一九三四年に文芸誌『文藝風景』の編集長となり、第二期まで発行、一九三五年二月からは、『文飯小品』全六期を編集するなど、小品文、雑文、随筆の執筆と編集の活動に従事した。この時期の活動は、一九三七年に出版した散文集『灯下集』に結実している。一九三七年に創作した「黄心大師」の目指した文体改造は、そのような散文創作の活動とも無縁ではなかったと考えられる。

抗日戦争時代

そのような施蟄存の文学活動に、一つの転機が訪れたのは一九三七年のことであった。「黄心大師」が許杰の批判を受けていた頃、上海に熊慶来という人物が、清華大学の朱自清の紹介で施蟄存のもとを訪れた。既に盧溝橋事件がおき、日中戦争が始まっていた。熊慶来は、昆明の雲南大学の学長に就任し、教員を物色していた。施蟄存は熊と面談し、赴任することに同意、二百元の旅費を受け取った(12)。

一九二七年から松江聯合中学で国語の教師をした経験のある施蟄存であったが、大学で教鞭を執ることは、大きな負担となったようである。一九三七年九月上旬、松江を出発、日本軍の飛行機による度重なる爆撃を受けながら、江西、湖南、貴州を経て、昆明へと向かう。雲南大学に赴任したのは九月三十日であった(13)。

私と同時に赴任したのは、李長之、呉晗、林同済、厳楚江らである。抗日戦争勃発後、最初に昆明に到達した外省人であったが、ほんの二、三十人ばかりの人数であった。そのほとんどが盧溝橋事件以前に招聘が決定していたものたちである。従って昆明にやってきたのは戦争の影響ではなかった(14)。

雲南大学文史系の教員となった施蟄存に、学科主任が与えたのは、一年生クラスの国文と歴代詩選、歴代文選という科目であった。

私は戦々恐々として任務を受け、授業の準備に力を注ぎ、講義内容を編成した。数か月授業をして、過去においては、読書するばかりであったが、たとえ読書量が多かったとしても、それは全く役に立たないことを理解した。多くの古典作品を、過去に数十回読んでおり、自分でわかっているから、問題ないと考えていた。しかし教室にもって行って講義をしたとき、学生が一つ質問するだけで、問題ありと感じた。どうすればいいか。質問に解答するには研究しなければならない。このときから、私の読書方法は、一歩深いところに踏み込んだ。[15]

今までの読書法では大学の講義に耐えられないことを認識した施蟄存は、研究に大きな精力を注ぎこむことになった。雲南大学における、このような読書生活の変更は、一九四一年に赴任した厦門大学の五年間においても同様で、日中戦争時期のほとんどの時間は、研究と教育に費やされたのだった。あるいは、魯迅の「明天」に関する詳細な精神分析[16]も、この時期の研究の成果だったのであろう。

翻訳活動

翻訳は、施蟄存の同人誌時代、『現代』編集長時代、大学教官時代を通じて、一貫して行なってきた重要な活動である。同人誌時代の最も重要な仕事は、シュニッツラーの『婦心三部曲』(『ベルタ・ガルラン夫人』『ベアーテ夫人とその息子』『令嬢エルゼ』)の翻訳であろう。この仕事が『梅雨之夕』や『善女人行品』所収の女性心理を描いた作品へと影響したことは、つとに斎藤敏康らによって指摘されている。[17]『現代』編集長時代には、訳詩が頻繁に見られるが、小説としては、スペインの作家バローハ[18]の「深淵」(『現代』第三巻第二期)と同じくスペインの作家アヤラ[19]の「助教」（『現代』第五巻第三期）を（恐らく英語版から）翻訳掲載している。理論的な文章としては英国ハクスリーの「新的浪漫主義」（『現代』第一巻第四期）を訳している。

一九三七年二月に『ポーランド短編小説集』を、四月にシュニッツラーの『薄命のテレーゼ』を、出版している。

一九四六年四月には翻訳を中心とする雑誌『活時代』を創刊している。

解放初期の五、六年間つまり一九四九年から一九五五年くらいまでの期間、施蟄存は業余の時間をほとんど外国文学の翻訳に費やし、東欧、北欧およびソ連の小説を二百万字余り翻訳した[20]、と述べている。いちいち列挙しないが應国靖の作成した年譜[21]によって、その具体的な作家名と作品名を確認することができる。『現代』編集時代にアメリカの現代詩を精力的に訳していた施蟄存は、教員時代を経て、社会主義政権になると、翻訳の対象を社会主義圏の文学に切り替えていった様子が見て取れる。その翻訳活動は、その時々のこの作家の関心のありかを如実に表していたといってよいだろう。

インテリ遭難時代

施蟄存は一九四六年、上海に戻り、暨南大学教授となる。一九五〇年には光華大学や大同大学教授も兼任、一九五一年は大同大学を離れ、滬江大学教授となった。一九五二年滬江大学で「思想改造」に参加する。その秋、機構調整により、大学が統廃合され、施蟄存は華東師範大学中文系の教授となり、ようやく身分が落ち着いた。しかし社会的には、すでに三反五反運動や映画『武訓傳』の批判が始まっており、運動はさらに胡風批判、百家争鳴・百花斉放から反右派闘争へとエスカレートしていく。

一九五七年七月、施蟄存もまた「右派分子」のレッテルを貼られ、すべての著作の出版が凍結された。一九五八年には他の「右派分子」とともに、上海郊外の嘉定で労働改造に従事する。一九六一年に一旦「右派分子」のレッテルを外され、華東師範大学に戻るが、一九六六年に文化大革命が始まると、「レッテルをはがされた右派の牛鬼蛇神」として批判闘争に掛けられる。その後再び嘉定に送られた。結局右派問題が冤罪として処理されたのは一九七八年のことで、これによって、華東師範大学の教授に復帰した。この時すでに七十三歳、博士課程大学院生の教育に力を注いだ。一九八六年には『唐詩百話』を完成させ、同年、華東師範大学を八十一歳で退職したが、その後も大学院生の指導は続けたという。

晩年

晩年は蔵書や著作を上海図書館に寄付し、上海愚園路の郵便局の二階の自宅で「右派」とされてから始めた「碑版」の研究を続けた。一九八〇年代から九〇年代にかけては、文芸界の求めに応じて、時代の証言としての「回想記」的文章を多数書き残している。[22]その中には、社会主義中国の文芸政策に関する重要な提言も含まれていた。その主張は『現代』を編集していた時代から、ぶれることなく一貫した視点に貫かれているように思われる。反骨精神と深い学識、謙虚な態度で怒涛の時代を生き抜いた、と言えよう。

二〇〇三年十一月十七日に上海で死去。上海郊外の霊園に眠っている。

注

（1）沈健中編撰『施蟄存先生編年事録』上　二〇一三年九月　三頁

（2）不祥
（3）「我的第一本書」（私の最初の本）、『沙上的脚跡』遼寧教育出版社　一九九五年（拙訳『砂の上の足跡』大阪外国語大学学術研究叢書22、一九九九）
（4）『四庫全書』の分類で、儒教の経典、歴史書、諸子百家、文人の個人文集を指す。
（5）「飲水思源」（水を飲んで源を思う）『砂上的脚跡』遼寧教育出版社　一九九五（拙訳『砂の上の足跡』大阪外国語大学学術研究叢書22、一九九九）
（6）山田美佐「施蟄存小説考――心理分析への展開」（『未名』第十六号　一九九八年三月　中文研究会）は施蟄存の「鳩摩羅什」にアナトール・フランスの『タイス』の影響があることを、仔細に分析している。本編で触れられなかったので、ここに記す。
（7）厳家炎「論新感覚派小説」（『論現代小説與文藝思潮』湖南人民出版社　一九八七年三月）
（8）「梅雨の夕べ」西野由紀子訳、『中国現代文学珠玉選　小説1』二〇〇〇年三月二玄社がある。
（9）大東和重「恋愛妄想と無意識――『蒲団』と中国モダニズム作家・施蟄存」
（10）中山文「施蟄存『霧』を読む」『求索』第三号、斎藤敏康「善女人行品論」『野草』四十三、四十四、四十五号一九八九年～一九九〇年
（11）「現代雑憶」『施蟄存全集・第二巻』華東師範大学出版社　二七五頁
（12）沈建中『施蟄存先生編年事録』上　二〇一三年
（13）施蟄存『西行日記』
（14）施蟄存「顛雲浦雨話従文」『施蟄存全集・第二巻』三八一頁
（15）施蟄存「我治什么〝学〟?」『施蟄存全集・第二巻』三一八頁
（16）施蟄存「魯迅的《明天》」『国文月刊』一九四一年第一期『施蟄存全集・第十巻』
（17）斎藤敏康「施蟄存とA．シュニッツラー――『婦心三部曲』と「霧」「春陽」」『野草』六十六号　二〇〇〇年八月、中国文芸研究会
（18）ピオ・バローハ（一八七二―一九五六）

（19）ラモン・ペレス・デ・アヤラ（Ramón Pérez de Ayala, 一八八一―一九六二）
（20）施蟄存「我治什么〝学〞？」『施蟄存全集・第二巻』三一八頁
（21）『中国現代作家選集　施蟄存』三聯書店一九八八年一月所収
（22）拙訳『砂の上の足跡』大阪外国語大学学術双書22　一九九九年

初出一覧

序　章　歴史小説に見る施蟄存の方法意識——茅盾との比較から『相浦先生追悼中国文学論集』東方書店　一九九二年十二月
第一章　「施蟄存『鳩摩羅什』——その虚構過程」『野草』三十九号、中国文芸研究会　一九八七年二月十五日
第二章　「施蟄存『黄心大師』をめぐって」『太田進先生退休記念中国文学論集』中国文芸研究会　一九九五年八月一日
第三章　「施蟄存の短編歴史小説『李師師』」『阿頼耶順宏・伊原沢周両先生退休記念論集　アジアの歴史と文化』汲古書院　一九九七年四月
第四章　「施蟄存『石秀』の成立」『野草』七十二号、中国文芸研究会　二〇〇三年八月一日
第五章　「施蟄存『将軍底頭』成立の背景資料について」『野草』七十八号　中国文芸研究会　二〇〇六年八月一日
第六章　「施蟄存『阿檻公主』と郭沫若の『孔雀胆』」『野草』六十六号　中国文芸研究会　二〇〇〇年八月一日
終　章　文学と歴史学のはざま——「黄心大師」の波紋（二〇一四年中国鄭州での国際研討会で発表、論文未公刊）
補　章　文人から作家・翻訳家・編集者そして研究者へ——施蟄存の文学歴程（「施蟄存の描いた「モダン」上海」『アジア遊学・六十二号　上海モダン』勉誠出版、二〇〇四年四月及び施蟄存著、青野繁治訳『砂の上の足跡』大阪外国語大学学術研究双書22、一九九九年、にもとづき加筆）

参考文献・参考資料

『晋書』第九十五　列伝第六十五「鳩摩羅什」房玄齢等撰、中華書局
『梁高僧傳』「鳩摩羅什」梁慧皎撰『漢訳仏典』中国の古典十、学習研究社
『高僧伝（一）』慧皎著、吉川忠夫・船山徹訳　岩波文庫　岩波書店　二〇〇九年八月
『出三蔵記集』巻十四　鳩摩羅什傳一　梁釈僧祐撰　中華書局　一九九五年十一月
『太平廣記』巻八十九　異僧三　鳩摩羅什
『草堂寺（修訂本）』陳景富編著　二〇〇四年四月　長安仏教研究双書
『草堂寺簡介　附鳩摩羅什法師傳略　圭峰定慧禅師傳略』草堂寺パンフレット
青野繁治「歴史小説に見る施蟄存の方法意識――茅盾との比較から」『相浦先生追悼中国文学論集』東方書店　一九九二年十二月
青野繁治「施蟄存『鳩摩羅什』――その虚構過程」『野草』三十九号、中国文芸研究会　一九八七年二月一日
青野繁治「施蟄存『黄心大師』をめぐって」『太田進先生退休記念中国文学論集』中国文芸研究会　一九九五年八月一日
青野繁治「施蟄存の短編歴史小説『李師師』」『阿頼耶順宏・伊原沢周両先生退休記念論集　アジアの歴史と文化』汲古書院　一九九七年四月
青野繁治「施蟄存『石秀』の成立」『野草』七十二号、中国文芸研究会　二〇〇三年八月一日

青野繁治「施蟄存『将軍底頭』成立の背景資料について」『野草』七十八号　中国文芸研究会　二〇〇六年八月一日
青野繁治「施蟄存『阿襤公主』と郭沫若の『孔雀胆』」『野草』六十六号　中国文芸研究会　二〇〇〇年八月一日
青野繁治「文学と歴史学のはざま――「黄心大師」の波紋（二〇一四年中国鄭州での国際研討会で発表、論文未公刊）
青野繁治「施蟄存の描いた「モダン」上海」『アジア遊学・六十二号　上海モダン』勉誠出版　二〇〇四年四月
應国靖編『中国現代作家選集　施蟄存』三聯書店　一九八八年一月
王慶成「太平天国革命的反封建性质不容否定――驳梁效、罗思鼎对太平天国历史的歪曲」，『歴史研究』一九七七年六期（十二月発行）
大東和重「恋愛妄想と無意識――『蒲団』と中国モダニズム作家・施蟄存」比較文學研究　八二、二〇〇三年九月　すずさわ書店
香川檀『ダダの性と身体――エルンスト・グロス・ヘーヒ』ブリュッケ　一九九八年十二月
厳家炎「論三十年代的新感覚派小説」（『中国現代文学思想流派討論集』人民文学出版社　一九八四年十二月）
厳家炎「略談施蟄存的小説」（『中国現代文学叢刊』一九八五年第三期）
厳家炎『論現代小説與文藝思潮』湖南人民出版社　一九八七年
厳家炎編『新感覚派小説選』人民文学出版社　一九八五年五月
厳家炎編『新感覚派小説選【修訂版】』人民文学出版社　二〇〇九年四月
呉福輝『都市漩流中的海派小説』（湖南教育出版社　一九九五年）
斎藤敏康「善女人行品論」『野草』四十三、四十四、四十五号　一九八九～一九九〇

斎藤敏康「施蟄存とA．シュニッツラー――『婦心三部曲』と「霧」「春陽」」『野草』六十六号　二〇〇〇年八月、中国文芸研究会
E．W．サイード『オリエンタリズム』（上・下）板田雄三・杉田英明監修、今沢紀子訳、平凡社　一九九三年六月
施建偉『心理分析派小説集・序』百花洲文藝出版社一九九〇年
施蟄存『将軍底頭』新中国書局一九三二年初版、一九三三年再版、一九八八年十二月上海書店影印本
施蟄存『沙上的脚迹』遼寧教育出版社一九九五年
施蟄存著　青野繁治訳『砂の上の足跡』大阪外国語大学学術研究双書22、一九九九年
施蟄存『十年創作集　上　石秀之恋』人民文学出版社　一九九一年一月
施蟄存『十年創作集　下　霧・鴎・流星』人民文学出版社　一九九一年一月
施蟄存「关于《黄心大师》的几句话」『中国文藝月刊』第一巻第二期　一九三七年
施蟄存「一个永久的歉疚――対震华法师的忏悔」一九四六年
施蟄存『施蟄存全集・全十巻』華東師範大学出版社
沈健中編撰『施蟄存先生編年事録』上・下　上海古籍出版社　二〇一三年九月
瀬戸宏『中国演劇の二十世紀』東方書店　一九九九年四月
曽士海『慧遠　乱世玄龍浮蓮花』
張平「評幾篇歴史小説」『現代文学評論』第一巻第三期　一九三一年六月十日
程毅中編著『古體小説鈔　宋元巻』中華書局　一九九五年十一月
中山文「施蟄存『霧』を読む」『求索』第三号　一九九〇年九月

西野由紀子訳「梅雨の夕べ」、『中国現代文学珠玉選　小説1』二〇〇〇年三月　二玄社
茅盾『我走過的道路（中）』人民文学出版社　一九八四年五月
無名氏『現代』第一巻第五号　李昉等編『太平廣記』一九六一年九月第一版、一九九五年八月第六次印刷　中華書局
李欧梵『上海摩登――一種新都市文化在中国 1930–1945』毛尖訳、北京大学出版社、二〇〇一年十二月
魯迅『魯迅全集』二十巻本　第十巻　一九七三年
山田美佐「施蟄存小説考――心理分析への展開」（『未名』第十六号　一九九九年三月　中文研究会）
喩智官『上海フーミンアパート』笠原貞子訳　東京図書出版会　二〇〇六年九月

プロフィル

青野繁治

1954年福岡県北九州市生まれ。大阪外国語大学中国語学科卒業。中国現代文学専攻。大阪大学名誉教授。訳著『砂の上の足跡』（大阪外国語大学学術叢書、1999）『鳩摩羅什の煩悩―施蟄存歴史小説集』（朋友書店、2018）。主要論文「中国文壇のジレンマ―「蒲松齢短篇小説賞」と今世紀中国の短篇小説」（中国芸文研究会『野草』101号、2018）。

中国モダニズム作家の歴史再構築　施蟄存歴史小説論

二〇二〇年二月二〇日　第一刷発行

著　者　青　野　繁　治
発行者　土　江　洋　宇
発行所　朋　友　書　店

〒六〇六－八三一一　京都市左京区吉田神楽岡町八
電話（〇七五）七六一－一二八五
FAX（〇七五）七六一－八一五〇
E-Mail:hoyu@hoyubook.co.jp

印刷　亜細亜印刷株式会社

ISBN978-4-89281-181-4 C3098 ¥2500E